JN067402

波動　はるかに

多言語のある日々

上斗米　正子

デーリー東北新聞ほか、外部に発信してきた原稿（未掲載原稿を含む）より、多言語の大航海（1973年出航、1981年より）と共に、人々と世界の出会いを通じて、「ことばと人間」のテーマを、柔らかなかつ鋭角的な角度から、多言語は外国語としての言語の数ではなく、「人間のことばはひとつ」をフーガのように探究する。

遥かな未知の世界に想いを馳せながら、一番近い人、家族や仲間との対話を通して、どんな人とも柔らかく優しい心根で世界と繋がり、未来を拓いていく‥希り《いの》を込めて。

表紙画「波と浪裏」
佐藤泰生

プロローグ

二〇二三年、世界的に地球沸騰化と称される猛暑続きの夏を前に、青森、八戸市美術館で[*1]「ハルくんの虹」原画展×トークライブの準備にかかり始めた時、ふと古いファイルを手にした。それまで、新聞、雑誌等に掲載された小片《ことば》たち。古くは一九八八年の「カナダアイスホッケーチームとの八戸・八日間」から、一九九六年、二〇一三年「ふみづくえ」など、多くは[*2]デーリー東北新聞に掲載、また未発表のものもある。

その時折、目をくるくるさせて何かを追いかけ、夢中になって息を潜めて、素手で何かに向かっている私がいる。時代の気配がある。人々の騒めきがある。多言語活動推進で全国を巡り、ホームステイ交流開拓に韓国、ヨーロッパ、ロシアなどを飛びまわりながら、見た、聞こえた、触った感触を必死で外に発信した痕跡だ。感じる想いに一ミリも違わない色のことばをいつも探して、大部分は沈殿する。ことばは何処から来るのか。

*1／「カメルーンと日本 愛と希望のリレイ ハルくんの虹」4ヵ国語絵本。2022年春遊行社刊 *2／1945年12月八戸市で戦後の荒廃の中から産声。地域と繋がり、北奥羽に発信。

いつのまにか多言語活動の探求と実践がライフワークになり、八戸に還る機を逸しながら、自称「故郷と世界に橋を架ける」そして[*3]「創造のふるさとは未来に」を夢見ながら、気がつくと「ハルくんの虹」に辿りついていた。

生まれ育った家の中庭を臨む日本間、掛け軸の画を今も想う
物心つくと、ダンスが好き、色が好き、綴り方が好き
いつも心がゆらゆら　揺れる
皆と群舞しているのに、いつの間にか独奏
夢みるのが好き
「どこの世界にそんなことがあるの」「またお道化《どけ》てる」母の声がする
いつも道草

＊3／『ことばを歌え！こどもたち』榊原陽著・筑摩書房より。原文はヴェリミール・フレーブニコフ「〜創造の故国は未来なのだと　そこから言葉の神々の風は吹いてくる」『甦えるフレーブニコフ』亀山郁夫著・晶文社。

眠りながら考える
白んでくるころ　観念《イデ》が降ってくる
ことばが押し寄せてくる
イデもことばも消えないように　眠ってるフリをして　横たわっている
いつも季節外れ
仕事は　仕事だったらできないことばかり
仕事がすき
いつも　食べるのも　寝るのも忘れてる
いつの間にか　群れを離れて　孤軍奮闘
いつの間にか　多言語の海の大航海へ
私は何処？　何処に行くの？

西へ東へ　歩みを止めることだけはやめて　歩き出す
歩き続ける
走り続ける　疾走！
憧れるのが好き　憧れ続ける
愛することが好き　愛し続ける
諦めることを知らない
身体は　生まれないことばたちの細胞が満々
外に漏れた呻きの痕跡
そっと　触ってください

多言語のある日々
波動　はるかに　目次

プロローグ……3

第1章　この海の向こう　「ふみづくえ」2016/2017……11

この海の向こう……12
扉と心を開いて……15
ことばの探求者……18
大草原の調べ……21
皆でおこした火……24
可能性への挑戦……27
夢の新美術館……30
舞踊の魂……33
踊る魂・豊島和子先生とともに……36
お国言葉……42
本のまちの物語……45
ビッグニュース……48

第2章　あなたに逢いたい　「ふみづくえ」１９９７／１９９８……51
ニューヨークの春……52
季節と風景の中に……55
線を消す……58
夏に寄せて……61
真夏の夜の夢々……64
水墨の彩……67
松本奉山先生の思い出……70
『あなたに逢いたい！』……75
続・あなたに逢いたい……78
『古事記』へのいざない……81
有元利夫の空……84
夢をかたちに……88
第3章　風のかけら……91
Ⅰ　ドイツ・ベルリンより　１９９１年……92
Ⅱ　ふるさとは未来に……123

Ⅲ 『量子力学の冒険』とことばの冒険……126
Ⅳ 量子力学……137

第4章 虹のかけら……143
1 〈カナダ〉アイスホッケーチームとの八戸・八日間／1988……144
2 〈フランス・マズボー〉「フランス語、歌えるよ」／1989……162
3 〈アメリカ・ボストン〉八戸・多言語コミュニケーションシティ
「ボストンで見た夢」上・下／2010……168
4 〈ソビエト・ナホトカ～ロシア・サンクトペテルブルグ〉「私たちのロシア」／2013……173
5 〈ルーマニア・ブカレスト〉多様な言語に耳を開いて／2014……183
6 〈アフリカ カメルーン×トーゴ〉「ことばと人間」の旅 上・下／2018……186

第5章 ちっちゃな虹の手たち 物語……195
1 新丸子 『ハルくんの虹』に寄せて 二〇二二年二月五日……196
2 銀座 教文館 二〇二三年二月一日……200
3 小川町 小川町町立図書館 二〇二三年四月／六月……205
4 八戸 八戸市美術館 二〇二三年七月／八月……214

第6章　舞踏《ダンス》の系譜《リレイ》……219

長谷川龍生　推し・有飛行……220
「春秋」……222
赤瀬川隼　不思議な本……224
亀山郁夫　推し・上斗米正子……227
清水典子　見つけた！あおもり人《びと》……229
荒瀬潔　ハルくんの夢……232
小出治史　舞踏《ダンス》のリレイ……235
◇Begin the Beguine　／　花婿花嫁プロフィール／2008年6月22日……238
◇Proyecto de vida／多言語の虹……242

エピローグ……248

◇参考書籍……254
◇謝辞……255

第1章

この海の向こう

「ふみづくえ」2016／2017

この海の向こう

十八歳の春、進学進路が決まって、私は東京に出発した。それから現在に至るまでの半世紀に近い歳月、多言語活動の実践と研究に携わることになろうとは私自身、思いも及ばなかった。

私は八戸市十八日町に生まれた。父は農機具店を営み、母は従業員や四人姉妹の世話に明け暮れていたが、父母の周りに集まる人々の笑顔や活力に私は育てられた。

幼少の頃から、私は八戸の海が好きだった。学校で行った鮫の海水浴や砂浜での西瓜《すいか》割り、種差海岸のスケッチ旅行など、今でも故郷の海の蒼《あお》・空の青が我心の色だ。〈この海の向こうにアメリカがある…〉。海を見ながら、遠い遥《はる》かな世界への憧れが知らず知らずのうちに育まれていたようだ。

中学高校は無心で英語に取り組んだ。高校のA先生は「これからはカンバセーションが大事だ」と普段の授業に会話も取り入れたが、ある日「三沢さ外人に会いに行くべ！」と学年中に呼び掛けた。八戸の街なかでは外国人を見掛けることもない時代だ。

三沢の米軍基地に入ると、背の高い優しそうな方々が迎えてくださった。私がアメリカ人に話し掛けられた第一声は「ハアアーイ！」。「ハロウ？」「ハワユー」への答えを用意していた私は咄嗟《とっさ》に〈しらねえ〉と思った瞬間、頭が真っ白になった。そうなるとうねりのような波の英語は一つも聞き取れない。私の口からは一言も出ない。その日のショックは〈生《ナマ》はダメ〉、机上の勉強英語は何とかなっていたものの、生身の人が生き生きと話す言葉が分からないのだ。

フランス語に至っては、大学で初めて触れて、発音を一つ一つ訓練していざ話そうとすると頭が口の形を考え、音さえ出ない。

卒業後、一度だけと両親に頼んでヨーロッパ旅行に行かせてもらった時、イギリスでは英語を、フランスではフランス語を、誰もが普通に話していることに驚愕《きょうがく》した。〈私もここで生まれたら英語でもフランス語でも難なく話せたのに〉と。

帰国してから、偶然にも言語活動団体に就職した。その提唱者榊原陽氏（言語交流研究所代表理事）は「仲間や家族の自然な言語の環境さえあれば、人間は誰でも、何歳からでも、何語でも話せるようになる」と多言語活動を創始し、日本から世界に発信している。

外国語習得に何度も挫折したが、八戸に生まれれば南部弁を、津軽に生まれれば津軽弁を自然に話せるように、中国でもロシアでも、生まれた環境の言葉を誰でも、難なく話せるようになる―実はそれが「人間のことば」に違いない。

今回、「ふみづくえ」を書かせていただく機会に恵まれ、皆さんと「ことば」の不思議さや面白さ、出会いの楽しさについて、遥かな冒険をしていきたい。

2016年4月6日

扉と心を開いて

「ホームステイ」というと、皆さんは何を思い浮かべるだろう。学生が語学研修や生活体験のため、有料で海外の家庭に泊めてもらう。あるいは、スポーツ・文化交流の活動で、その地の家庭に滞在するなど、さまざまなスタイルがある。

私は言語交流研究所の仕事で１９８４年頃から、ホームステイを通して人と人が出会う国際交流活動に取り組み、その受け入れ先の開拓に奔走してきた。どの国でも交渉の相手から「無償で泊まるのか」「会話はできるの」などと質問を受けた。家族の一員のように交流したいという趣旨は、なかなか理解してもらえなかった。

見かねたM先生の紹介で、南フランス・アビニョンを訪れた。その家族は、初めて会う私をワインで迎えてくださった。一緒に散歩をしたり、友人宅を訪問したり、夢のような時間が過ぎた。

帰る前夜、私は拙いながらもありったけのフランス語でお願いした。「あなた方の家の扉を開けてくださって、ありがとうございます。このように心を開いて、人と人が出会うホームステイを実現してください」と。

別れの朝、アビニョンの駅でご主人は、「日本人はどこか別の星に住んでいると思っていたけれど、マサコは同じ人間だった。ぜひまた会いましょう」と、再会を約束してくださった。89年のことだ。その後、彼らは「アンティポッドゥ（地球の反対側）」という団体をつくり、ホームステイ交流を今に至るまで長年続けている。

今年1月、私は当研究所主催の交流プログラムで、ベトナム中部の古都・フエを訪れた。日本から赤ちゃん連れの家族やシニア世代など21人が参加。出発前にホストファミリーが決定し、お土産も準備して、成田から出発した。

フエ市郊外にある越日友好協会の施設に到着、対面式後それぞれの家庭に向かう。私のホストは、17歳の高校生・グエン君だ。家にはお母さんと妹、叔父さん、おばあさんら8人が同居していた。案内された部屋は緑の壁で、裸電球がともり、蚊帳があった。夕食は、バナナの葉で包まれたエビ入り蒸し餅、ウゴーン（おいしい）！

翌朝は雨。おばあさんが外を見て「ムア」、お母さんが「アオムア！」と私に言う。〈雨、雨がっぱ着なさい〉かな。想像して、聞こえた音は何でもまねっこして言ってみると、褒められたり笑われたり…。いつの間にか家族みんなが寄ってきた。

日本でも勉強し、外交官になりたいというグエン君。帰国した今、彼の将来を我が息子のことのように思っている。ベトナムの家族も言葉も本当にいとおしい。

東日本大震災が起こった時、世界のホストファミリーたちが「いつでもわが家に避難して来てね」と連絡をくださった。２０２０年東京オリンピック・パラリンピックに向け、どこの国の人にもどんな言葉にも壁をつくらず、家族として出会うホームステイ交流の輪を日本国内でも広げていきたい。

2016年5月11日

ことばの探求者

5月25日、言語交流研究所代表理事の榊原陽さんが85歳で亡くなった。私の仕事の恩師であるだけでなく、多くの人と一緒に、「ことばと人間」の新しい地平を切り開いた探求者である。榊原さんは、人々に当たり前のように思われがちな「ことば」の本質を探ろうとした。赤ちゃんは生まれる国や言語を選ばない。しかし、お母さんや周囲の人の話す「ことば」はいつの間にか自然に話せるようになる。人間の身体は生まれつき、周りの音声に共鳴共振する仕組みを有しているからに違いない。

もしも、家族や仲間と多様な言語を聞きながら楽しんでいける環境があれば、日本にいても色々な国の「ことば」を習得できる。榊原さんは、こうした環境をつくるための活動に着手した。

私が1973年に仕事として参加した言語活動団体の代表が、榊原さんだった。その頃は、子どもたちが遊びを通じて英語に親しむための活動を進めていた。これを全国に広げようと、私の故郷・八戸でも榊原さんが講師となり、活動の趣旨を伝える講演会の企画が持ち上がった。

両親に相談すると、父は当時の中里信男市長や市内の有識者に連絡した。帰省して父と一緒に各方面へ支援をお願いにあがる道々、新しい言語教育を私が地元に運ぶ一翼を担っていると思うと、恥ずかしく、嬉しい気持ちになった。講演会には多くの人が参加し、八戸にも活動が芽吹いた。この訪問を機に、榊原さんは八戸のことや、私の父母、姉妹のことも大変気に掛けてくださるようになった。

榊原さんの魅力はどんな人とも対等に向き合い、「ことば」について話をしようとすることだった。

ある日、私は「赤ちゃんはどうして可愛いのかな」と問われた。戸惑っていると、「絶えず変化するからかな。目を輝かせ好奇心いっぱいで、常に世界を見つけ、ことばを生み出しているよ」とおっしゃった。そのまなざしは、赤ちゃんの成長の中に言語の生成の本質を探究する科学者のように輝いていた。

既成の学問体系や常識にとらわれず、自然に言語を身に付ける環境と生得の能力《しくみ》があれば、何歳からでも、何カ国語でも話せるという新しい言語理論を確立した。その実践活動は、今では世界中に広がっている。八戸市でも幅広い世代の仲間が、世界の「ことば」を話しながら、各国へ交流に出掛けたり、海外からのホームステイを受け入れるなど活躍している。

長年、私は自分の考えを人に伝えるのが難しく、ましてそれを外国語で話すことには何度も絶望した。しかし、多言語の活動を通し、生まれた地で家族や周りの人から頂いた故郷・八戸の「ことば」を心から美しいと誇れるようになった。どんな人にも寄り添い、想いを伝え合うことに喜びが生まれた。

思えば、いつの間にか人々や言語の境界が消えていたことに今気付いた。「ことば」の新しい可能性を切り開いた榊原さんが、天空からほほ笑んでいるような思いがした。

2016年6月15日

榊原陽氏八戸市で講演時、浜田知章氏（詩人）と母と。鮫海岸にて

大草原の調べ

子どもの頃から、故郷の八戸では三社大祭が近づくと、どこからともなく笛や太鼓の音が聞こえてきた。郷愁を覚える思い出だ。しかし、昔から伝統的な日本の音楽や楽器演奏には苦手意識があり、距離を感じていた。

そんな私が3年前、友人に誘われて主人と一緒に篠《しの》笛を始めた。先生は若手演奏家の大野利可さん。埼玉県川越市の自宅で開かれているグループレッスンに月1度通い始めた。

篠笛は吹きながら、七つの手孔《しゅこう》と呼ばれる穴を指で押さえ、呂《りょ》音（低音）と甲《かん》音（中高音）を吹き分ける。習い始めの頃は息が続かず、指が動かず、音も出ずで、すぐに行き詰まった。

お稽古では初心者も十年来の先輩も、「どうぞ」という先生の一声で一斉に吹き始める。先輩たちの旋律に何とか付いて行き、笛音が共鳴し合って一つのメロディになった瞬間は、飛び上がるほどうれしい。ただ、私はまだ技術がないため、時折「ひゅう」「ぴいっ」と不協和音になってしまう。そんな時は赤面の至りだ。

篠笛の音色は実に果てしない。先生の幽遠な音に触れ、一人一人の練習に耳を傾けるのは、日常性を離れて和の伝統に触れる貴重な楽しい時間である。


ところで、先生の芸術家仲間であるウリアナさんの出身地、内モンゴルのフフホト市で、日中友好の民間音楽の演奏交流会ツアーが今月企画された。先生の門下生や篠笛愛好家もお誘いを受けた。ウリアナさんは中国の伝統的な楽器・古箏《こそう》の奏者である。

主人は「モンゴルの大草原で篠笛を吹いて風になる！」と乗り気になり、私も一緒に参加を決めた。出発までの3カ月間、課題曲として「うさぎ」「さくら」「荒城の月」、モンゴル民謡「敖包相会《アウパウシャンフエ》」を練習した。暗譜に必死になっていると、主人が「吹きながら、指で音を探すんだよ」とアドバイスをくれた。

そして、今月7日から6日間の日程で、篠笛の愛好家24人でフフホト市へ行ってきた。演奏交流会には、私たちや同市のサックス交響楽団も含め、日本・モンゴル・中国の一流の演奏家からアマチュア奏者までが参加。篠笛、馬頭琴、二胡、四胡、琵琶など、多彩な楽器で競演した。

中でも大野先生とウリアナさんの二重奏は圧巻だった。最後に、全奏者でモンゴル民謡を奏で上げた時は、一体感に涙がこぼれた。

演奏会が終わった翌日、市内から2時間ほどの大草原へ足を延ばし、乗馬体験や、草競馬とモンゴル相撲の観戦を楽しんだ。そして次の日の朝、先生とウリアナさんのアイデアで、サックス楽団と篠笛奏者で大草原をバックにコラボセッションをすることになった。

突然の話に私は真っ青になっていると、主人が「二人で『さくら』をやろうか」と寄ってきた。先生の演奏に続き、主人の音に寄り添うように心を込めてふいた。足は乗馬の後よりも震えていた。

篠笛を始めたことをきっかけに、大草原での民族を超えた音楽交流に参加できて、新しい世界が大きく広がった。

2016年7月20日

皆でおこした炎

リオ五輪の興奮で、例年に増して暑い夏だ。私は、ドイツ・ヴパタールからわが家へホームステイにやって来た高校生のボニイと、長野・新潟県境の斑尾《まだらお》高原で開かれた「多言語ネイチャーキャンプ」に参加した。言語交流研究所の主催で、大自然に親しみ、文化や言葉の違いを超えて交流しようと昨年から始まったものだ。

8月1日の開会式には、日本各地の幼児から80代の夫婦までと、海外から中国、韓国、台湾、パキスタン、ドイツ、ブラジルの学生ら約２００人が集まった。司会は日本の高校・大学生が多言語を使い進行した。

３泊４日のキャンプのテーマは「自分で考える、自分で見つける、みんなで楽しむ」だ。導いてくれる先生や管理者はいない。

グループに分かれて行動したが、私のペンションのメンバーはボニイと、中国の大学生2

人。リーダーは日本の高校生のトコと、お父さんのカメさんだ。

メンバーの間で、まず名前覚えゲームをすることになった。部屋の隅で漫画を読みだす小学生もいたが、トコがそばに行って「一緒にやろうよ」と誘い、全員で名前を覚えた。

2日目、私とボニイは森の中で、白樺の乾伐材を使って動物のクラフトを作ったり、地元のおばあさんに習ってわら細工を楽しんだりした。その後は、高原に張り巡らされたワイヤロープをつたって滑車で駆ける「ジップライン」に初挑戦。ドキドキしたが、先に飛んだ小学生の果敢な姿に励まされ、「ええい！」とロープに全身を委ねた。その瞬間、恐怖は充実感に変わり、周りにいたメンバーとの連帯感が生まれた。

3日目はペンションのメンバーで、高原の草花を集めて模造紙に貼り付け、思い出の本を作った。

ハイライトは、斑尾山麓での参加者全員によるキャンプファイアだ。野外芸術家の二名良日《ふたなよしひ》さんの指導で、垂直の棒に綱をかけて両面から引っ張り、棒を回転させて土台の板との摩擦により、火おこしに挑戦した。

棒を真ん中に、約100人ずつが左右に立ち、「加油《チャーヨ》（頑張れ）！」と中国語で叫びながら綱引きが始まった。煙は上がるものの、火はなかなかおこらない。二名さんは摩擦で熱を帯びた板のくぼみから、おがくずを集めて火種にした。それを麻ひもなどと一緒に針金で編んだ籠の中に入れ、力いっぱい回して空気を送り込む作戦だ。

「信じろ！」と二名さんの声が響く。それでも発火せず、私が諦めかけた時、籠からボオッ！と炎が上がった。大歓声とともに、各ペンションの代表が火をトーチに分けて運び、中央の組み木に点火した。

ゼロから皆でおこした火が大きな炎になり、夜空に向かって燃え上がる。ボニイは多くの人に声を掛けられていた。初めは知らない人同士で、誰もが不安だった。大自然の中で自ら行動し、声を掛けて仲間をつくる。こうした各自の体験が重なり、発火した光のように思えて胸が熱くなった。

２０１６年８月24日

可能性への挑戦

今、高校生はどんな青春を送っているのだろう。私の高校時代を振り返ると、部活は体操部に入るも、段違い平行棒を克服できず早々に退部。次に演劇部へ潜り込み、柾谷伸夫部長の下で練習に励んだ。一度舞台に立たせていただいたが、間もなくやめてしまった。私の性分や根性のなさを露呈しているが、何より大学の受験勉強に明け暮れたこともあり、わが高校時代は灰色にくすんでいる。他のことに目を向ける余裕さえなかった。今の時代なら、高校生が1年間海外に留学してみるのはどうだろうと思う。

所属する言語交流研究所の活動で、私が情熱を注いだ仕事の一つに「海外高校交換留学」プログラムがある。留学先での授業料が免除になり、履修した単位は帰国後に日本の学校の単位へ振り替えられ、進級し高校生活を続けられる制度だ。

当研究所は1997年、最初の高校交換留学生として39人を6カ国へ送り出した。この20

年間で計1620人を21カ国へ派遣し、各国から266人を日本へ受け入れている。

派遣を始めたばかりの頃、母校の八戸高校で講演を依頼され、当時の1年生全員を前に話をする機会があった。講演中に、「海外の学校や家庭で、日本では学ぶことのできない体験ができる、高校生だけに与えられている冒険にチャレンジしてみませんか？」と呼び掛けると、一人の女子生徒が手を挙げた。その勇気ある決意が本当にまぶしかった。

彼女は翌年、米カリフォルニア州に留学した。以来、全国からはもちろん、青森県でも八戸、青森、弘前から留学生が旅立っている。

八戸市の高校にもメキシコ、ドイツ、オーストリアなどから交換留学生を受け入れていただいたが、今でも私と交流している一人がルーマニアのアンドラさんだ。2012年8月から1年間、市内の高橋淑子さん方にホームステイしながら、県立八戸西高校で学んだ。

学校で初めてできた女子の友達二人と、一緒においらせ百石まつりを見に行くなど、毎日のように異文化に触れる体験をした。アンドラさんは、翌年の4月からは新しいことに挑戦したいと考え、当時同校に勤めていた伊調千春先生（現八戸工業高）にレスリングを教えてもらった。部員は後輩の男子と二人だった。ある日、彼女は八戸市武道館で開かれた大会を観戦に行くと、伊調馨さんに出会いサインを頂くという幸運に恵まれた。

アンドラさんは帰国時、「1年で私の世界がどんどん広がって行きました。自分の心が狭かったから辛いこともありました。ここで友達と家族をつくりました。いつかまた戻りたいです」と話した。その後も2度八戸へ〝里帰り〟したが、話す言葉は自然に八戸弁になる。

受け入れる学校、ホストファミリー、地域の人々にとっても、留学生と過ごす日々の葛藤や喜びは、かけがえのない財産となる。未知の世界で学ぶことに挑戦する高校生と、受け入れる人たちとの間で、無限の可能性と未来が広がっていく。

2016年9月28日

夢の新美術館

絵画、ダンス、音楽、演劇など芸術好きの私にとって今、最大の関心事の一つが八戸市の新美術館である。市に設けられた新美術館建設推進室が稼働し、市民からたくさんの要望が寄せられ、２０２０年度のオープンを目指して動きだしている。

物心ついた頃から、絵を描くことが好きだった。八戸市十八日町の生家は町屋様式のたたずまいで、床の間には祖父が大切にしてた古い掛け軸がいつも飾られていた。

父は西洋への憧れもあり、世界の画家や美術館の画集を眺めては、忙しい日常を離れて芸術の世界を楽しんでいた。私たちの芸術環境づくりにも熱心で、町内の画家・画材店主とコラボして写生大会を企画。子どもたちの作品を農機具店の軒先に展示し、道行く人々に見てもらったこともある。

「きれい！」「面白い」「いいなあ」。何かが心に触れた時、私はクレパスを握って描き出した。色は気持ちを表す言葉のようだった。家にあった美術全集や掛け軸に影響を受け、見てくれる人々にも励まされたことで、いつの間にか絵心が育まれていたのかもしれない。

海外へ行く時、その地の美術館を訪れるのは至福の喜びだ。フランス・パリのルーブル美術館で何世紀にもわたり収集された〝財宝〟に、じかに接するのは知的冒険だが、地元の芸術家の作品を集めた美術館に出くわすこともまたうれしい。

数年前、主人の出身地の静岡県浜松市へ行く途中、天竜浜名湖線に乗って天竜二俣駅に降り立った。案内表示に誘われて、市内の秋野不矩《ふく》美術館へ寄ってみた。丘の上に凛《りん》としてたたずみ、斬新なデザインながら、どこか懐かしいぬくもりが私たちを迎え入れた。

中に入ると、履物を脱ぐ決まりだった。展示されている秋野作品の透明感に、土足は似合わないようだ。天井や壁に白い漆喰《しっくい》、床には大理石、籐《とう》ゴザが敷かれ、座ったり、横になったりして作品と〝対話〟できる。

建物の屋根は長野県諏訪地方の石で葺《ふ》かれ、外壁はわらの入った土色の素材や地元特産の天竜杉で覆われるなど、自然との調和も素晴らしい。設計した建築家藤森照信氏の哲学が光っていた。

秋野さんは二俣町出身の女性の日本画家で、京都を拠点にインドなどでも活躍したことを知った。故郷の地の美術館で、この作家の作品に出合えたのは幸運であった。

日本や世界のいろいろな美術館で一つの作品に向かう時、作家の美に対する感覚や心情があふれ、息遣いが聞こえてくる。私と作品との境が溶け、その世界を浮遊してしまう。敬愛するマチスやカンジンスキー、夭折《ようせつ》の画家有元利夫[*4]や水墨画家松本奉山《ほうざん》[*5]の世界に魅了されるのは、天にも昇るその浮力にある。

八戸市に新美術館ができるのは、私にとって夢のようだ。周辺のはっちや市立図書館、八戸ブックセンター、各文化施設、市内の保育園・幼稚園、学校、商店街ともコラボし、市民みんなの笑顔と優しさが輝く美の発進拠点となってほしい。

２０１６年11月2日

＊4／１９４６年岡山県津山市生まれ、１９８５年没まで東京谷中在住。若くして安井賞他受賞多数。夭折の天才画家。

＊5／１９２５年愛媛県今治市生まれ。松本尚山に師事、水墨画の伝統を継承しながら世界に発信する水墨画を創造。外務省文化大使他海外派遣、国内外で個展、塾展多数。

舞踊の魂

ダンスバレエリセ豊島舞踊研究所の創設60周年記念公演が、11月20日に八戸市公会堂で開催された。私ははやる想いを抑えながら会場に入ったが、第1幕のクラシックプログラムが始まると、いきなり非日常の夢の空間に誘われた。

第2幕からガランス（フランス語であかね色）の3部作「迷宮」「楽園」「ギャラクシー」が進むにつれ、踊り手たちの華麗なムーブメントを追いながら、いつの間にかわが師・故豊島和子[*6]先生の舞踊の魂を探し求めていた。

先生は戦後、まだ日々の生活も大変だった1956年5月、八戸市窪町に豊島和子創作舞踊研究所を創設された。私は1期生として入門した。当時5歳ぐらいだったが、母に連れられて研究所の扉を開けると、履物を脱ぎ捨て、つま先を立てて鏡の方へ走ったのだという。

研究所の建物は天井が真っ黒だったが、そこへ行くと自然に体が動いて踊りだすような大

＊6／1929年青森県下北郡東海村白糠生まれ。青森師範学校在学中にモダンダンスに出会い、江口隆哉・宮操子に師事。1956年八戸市に創作舞踊研究所設立、以来研究生指導、自身、舞踊団の国内外で公演多数。2001年第30回デーリー東北賞受賞。

好きな空間になった。先生のたたくタンバリンに合わせて、私たちは素足で「歩く」「走る」「飛ぶ」「呼吸する」という動きの基本を、来る日も来る日も学んだ。先生は人間誰もが有している踊ることの喜びや、一人一人の固有の表現を引き出し、育ててくださった。

58年に、当時あった市民会館で開かれた第2回発表会で、舞踊劇「こけしぼっこ」の主役を踊ることになった。先生は、手足の動きよりも内面的な感情の移ろいを丁寧に指導してくださった。

筒のような帽子と、丈が長いずんどうの茶色い衣装を身にまとった。子ども心に思い描いていた、きらびやかなバレエとは異質な世界だった。ただ、一つの動きから空間が生まれ、心情と体の動きが言葉になるこのダンスのとりこになった。

中学生になり、研究所が八戸市糖塚に移った後、稽古からは離れてしまった。それでも先生との交流は続き、私の心の中での踊りは一度もやむことはなかった。

先生は単身、そして舞踊団を率いて、東京をはじめ全国で公演した。弟重之氏の参画で意欲的な演出になり、ヨーロッパなど海外でも活躍。十和田湖、二戸にも研究所を開かれた。

2006年に市公会堂で行われた公演で、先生は南米の湿地帯の大自然が変異し、巨大魚が死滅していく中、生き延びた小さな古代魚「ピカイア」を、崇高な表情と不動の迫力で踊った。舞踊の魂が、ダンスを愛する次世代の子どもたちへ未来永劫《えいごう》にリレイされるようにと祈る、渾身《こんしん》の「いのちの舞」であった。半世紀前、先生と出会った頃から一貫して、独自の舞踊芸術を創造し続けている姿にわが身が震えた。

東日本大震災から間もない２０１１年３月25日、先生は昇天された。

今回の発表会では、門下生たち全員が創作舞踊の神髄を見事にリレイし、伸びやかに果敢に表現していた。私にも、踊る喜びと生きる力を運んでくれた。八戸に舞踊の魂よ永遠なれと、全身が熱くなった。

２０１６年12月７日

踊る魂・豊島和子先生とともに

和子先生が逝く。震災で陸路が断たれ、空路も混乱の中、三月三十一日の葬儀に辿り着いた。その日の八戸市は陽光に満ち、この舞踊家の旅立ちを包もうとしている。ご葬儀会場に入ると、ダンスバレエリセの門下生たち・父母たち、市内や県下の文化・芸術関係者など先生と先生の芸術を慕う多くの人々が集い、中央に「風ーFUH」の遺影、先生が踊っている。在りし日の舞踊や昨年十二月最後の舞台映像が流れる。「これまでありがとうございます。これからもよろしくお願いします」あの独特なイントネーションの声だ。

弔辞、門下生でリセの教師をしている三人が語りだす。「先生は紫いろのレオタードに身を包む。手は大きく足はすらりと長く、目が大きくどこか恐い印象・・稽古が始まると、歩きなさい、走りなさい、さあ飛んで・・パパパーン!タンバリンがなる・・」。「今日は通いなれた研究所への道がとても遠く歩いても歩いても辿り着かないのではと思いながら・・歩く・・和子先生に、何処から何処へ歩くのではなく、歩くことを歩く・・歩くことを教えていただきました」と。

喪主の豊島重之氏は、医師であるが、研究所十周年公演から演出に加わり、姉和子先生の舞踊芸術を生涯にわたって創造し、豊島和子やモレキュラーシアターの偉業を海外まで轟かせた。

教師で書家の父鐘成さんと和子先生に風貌が似ている重之氏のご挨拶に、心を鷲掴みにされたのはわたしだけではあるまい。「えどし・・おおえどし・・宮沢賢治の一節ですが、豊島和子は幼少からダンスに出会う門下生を、わが子のようにえどし（愛おしい）おおえどし（本当に愛おしい）と育てておりました。彼女は世界恐慌の一九二九年に生まれ二〇一一年のこの三月二十五日に逝く・・歴史がダンスを生むのか、ダンスが歴史を引き込むのか。今年十月二十三日・八戸公会堂での豊島舞踊研究所ダンスバレエリセ創立五十五周年の発表会に向けて意欲的だった矢先のことで、昨年十二月最後の舞台となった星塾のジュパルクの衣装を纏い昇天しました」と。八十二歳の生涯は戦争と戦後の日本を体験し、幾度となく押し寄せる経済危機、自然災害に見舞われ、病気とも闘いながら豊島和子自身を一筋に生き貫いた舞踊人生だ。

和子先生は教職を辞して、一九五六年五月八戸市窪町に豊島和子創作舞踊研究所を創設、その一期生としてわたしは入門した。チュチュを纏いトウシューズで動くすがたに憧れていたが、創作舞踊研究所では来る日も来る日も、素足で歩くこと、走ること、飛ぶこと・・タンバリンがなった。ひとつの動きで空間が生まれ、体が言葉になる、あるいは言葉が動きになるこのダンスの虜になった。中学生になり稽古からは離れたが、心の踊りは一度も止むことは無かった。

一九八〇年の秋東京銀座絵画館で先生が踊るという案内を受けた。『小さなスポットに照らされて踊りが始まった。闇の中で、魂がうごめく。いや、静。動いてはいない。しかし脈々と動いている。言葉になろうとする言葉が、平衡のカオスから非平衡のカオスへ。そして、有るものが無きものへの転身を歌う、不思議な舞であった。涙がこぼれた。五、六歳のワタシには、マニェール・ド・カズコの、空気に委ねる如き手・足のひとつひとつ粗野に思われたが、万象と呼応する細胞と筋肉、人間固有の動きの基本原形にむかって、限り無いエグザルシスを施していたのだ。』ー拙著「有飛行ー有元利夫と仲間たち」風濤社刊より

遺影「風ーFUH」が銀座での在りし日の踊りを運んできた。あの日強烈に感じたことは、

和子先生は私に、心踊って生きる芸術の原点を授けてくださったのだと。今はっきり見える。和子先生はいつも全身全霊でわたしたち幼子に、本来人間固有の踊る楽しさと踊る魂を掘り起こしてくださっていたのだと。

二〇〇五年九月十八日ダンスバレエリセ五十周年記念公演「パンタナル」で和子先生は「ピカイヤ」を踊る。ピカイヤはか弱いとても小さい古代魚だが、自然の大変動で巨大魚が絶滅していく中、次世代まで生き延びる。このピカイヤを踊るとき、先生は「いのちの連鎖」の不思議と微かで小さいが「確かな希望」を与えられたという。六十余年前の自身の初舞台の胸の高鳴りを、出番を待つ幼子たちの「いのちの羽ばたき」に重ねていたに違いない。門下生の皆さんは和子先生の舞踊のいのちをリレイして踊り続け、羽ばたいてくださいと祈る。

二年半前帰省の折に和子先生を訪ねた。マルセルマルソーの公演を見たくて、寝具の布団を質に入れチケットを買ったこと、韓国公演が野外で石片が素足に刺さり痛さに堪えて踊り続けたこと、かの土方巽に舞踏へ誘われ、「わだしはモダンだすけ、モダン踊りたいすけ」と舞踏とは一線を隔したことなど、あの独特の声とイントネーションで朗らかに語られた。その続きをもっともっとお聞きしたかったのに・・。和子先生のことばはいつも柔らかで優しくかつ直球であり、そのことば同様にダンスは日常のしぐさ、稽古の動き、照明をあびる舞台でも一貫して気迫と気品に満ち満ちていた。

豊島和子先生がこの地八戸に降臨し、生涯にわたり独自の舞踊芸術を創造し続けた稀有な偉業を畏れ、師事を賜った幸運に心から感謝しながら、和子先生の舞踊の魂をぜひとも後世に語り伝えていきたい。一人でも多くの方々と先生と先生の芸術をことばにして和子先生を出現させていきたい。そのことばの向こうに、和子先生を奉る国際舞踊フェスティバルや、豊島和子アーカイブスのようなムーブメントを起こし、また舞台空間に限らず、日常生活でも心や身体が踊り出す楽しい町にと、八戸を益々創作舞踊のふるさとにしたいと夢想する。

東日本大震災で立っている地平が大きく揺れた。いまだかって感じたことのない不安と無気力に慄きながら、ここに来た。

「何を泣いているの。身体があるでしょう。立ち上がりなさい、歩きなさい・・」

和子先生の声が聞こえた。さあ、ここから歩こう。日々の生活に躍る魂をもって、歩くことを歩く。自分自身に向かって、必ずめぐり会う明日に向かって。

二〇一一年四月二十五日

デーリー東北新聞に投稿、未掲載原稿

「パンタナル」で「ピカイヤ」を踊る豊島和子先生　　　　八戸市公会堂にて

お国言葉

仕事や家事が一段落した大みそかに、夫婦でお正月をどう迎えようかという話になった。大体は私の姉妹家族のいる八戸へ帰省するのだが、久々に主人の田舎の浜松へ行くことに決めた。

ＮＨＫ大河ドラマ「おんな城主直虎」の舞台の地でもある。義兄が住む浜松市北区引佐町にある龍潭《りゅうたん》寺を以前に訪れたが、小堀遠州作の庭園が実に素晴らしい。井伊家の菩提《ぼだい》寺で、直虎が出家して修行を積んだ寺であり、お墓もある。

元日に新幹線で静岡へ向かった。掛川駅で在来線に乗り換え、袋井駅からバスで法多山《ほったさん》尊永寺に向かった。この辺りから、関東とも東北とも違う町や人々のたたずまい、地名などが新鮮に思えたが、異国にきたような戸惑いも生じてきた。

法多山本堂に至る参道は初詣の人々で埋め尽くされ、遅々として進まなかったが、並んでいると遠州の言葉がだんだん聞こえるようになってきた。「〜ずら」「〜そうけ」。語尾に至るイントネーションがイタリア語にも似ているかな、と思った。友達同士や家族の会話が実に楽しげに響いてきた。

その日は袋井市の「葛城北の丸」に宿泊したが、夕食後に新春寿《ことほ》ぎの企画で、津軽三味線が披露された。奏者は楽器について説明し、自らが下北の出身であると語った。三味線の音色と言葉のなまりから、遠州の地に思いがけず私の故郷が出現したように感じた。

翌日は隣町にある小國神社に参拝後、再び電車に揺られて、義兄の家にたどり着いた。奥さんにお年賀を差し出すと、「よばれるや〜」と言ったように聞こえた。

その夜、いつもは寡黙だという義兄と主人が、お酒を酌み交わすうちに雄弁になった。「そうけ」「そうだに」という方言の嵐の中で、私も思わず「そうだに」と言いそうになった。親戚の近況、直虎や龍潭寺ブーム、浜名湖のうなぎの話題などを、遠州のお国言葉で聞くのは実に楽しかった。

さらに翌日、近くに住む主人の従姉《いとこ》を訪問し、お土産を差し出すと、「よばれるや」と言われ、この時に「ありがとう」「いただくね」の意だと自然に分かった。

我が家でも、主人との普段のやり取りで、遠州の言葉を聞いて驚くことが多い。「やっとかめ（久しぶり）」「ぶしょったい（だらしがない）」「ひずるしい（まぶしい）」など。中でも「おとましい（かわいそう）」「みるい（若い、未熟）」という言葉は、関東風に言われるより温かい気持ちになる。

ちなみに主人が好きな南部弁は「こでられね～（いいね。言うことなし～）」で、この言葉が出ると私たちは笑顔になってしまう。

郷土史家で2012年に亡くなった正部家種康氏の功績を讃え、命日の12月6日は「南部弁の日」に制定されており、これに合わせて八戸で毎年開かれる南部弁のイベントは年々盛り上がっている。

方言は、かけがえのない故郷の誇り、宝物である。お国言葉の南部弁も遠州弁も、生活の中で楽しく話していきたい。

2017年1月18日

本のまちの物語

今月7日に東京都内で「八戸ふるさと交流フォーラム」が開催された。首都圏を中心に活躍する在京八戸市の関係者らが集い、市政報告などが行われるイベントだ。市の年々の変化や発展ぶりが在京の私にも伝わるので、毎年楽しみにしている。

当日は小林眞市長が南部弁を交えながら、市に関する出来事や施策を説明した。伊調馨選手の五輪4連覇と国民栄誉賞受賞、八戸三社大祭のユネスコ無形文化遺産登録、中核市移行、八戸ワイン産業創出プロジェクトなど多彩な内容だった。

特に、小林市長が掲げる「本のまち八戸」構想の取組には心を引かれた。親が読み聞かせを行うきっかけをつくるため、市は赤ちゃんに絵本を贈っている。3歳児と小学生にも、市内書店での購入に使用できるブッククーポンを贈り、子どもの頃から本に親しむ環境を整えようとしている。

昨年12月には、市営の「八戸ブックセンター」が誕生した。離島など諸事情から行政が書店業務を担うことはあるが、市が書店経営をするのは全国でも例を見ないという。センターの構想に対しては、心配や反対の声も一部にあったようだが、期待する市民も多く、その中でついに実現した。

フォーラムでは識者の対談で、ブックセンターを拠点に「読む人」と「書く人」を増やしながら本のまちづくりを進めてほしいという提言もあり、私は夢が広がる思いがした。活字や本離れが危惧される中で、市が真剣に本と向き合おうとしているのはすごいと感じた。

1月下旬、父の二十三回忌で帰省し、私たち4姉妹夫婦が久しぶりに八戸で集まった。法要を済ませ、父母の思い出や家族の話題に花を咲かせた時に、「皆でどこかいきたいね。そうだ、八戸ブックセンターに出掛けよう」となった。

前日から積もった雪が、センターの前庭を真っ白に覆っていた。入り口へ向かう途中、雪に光がキラキラと反射しているのが見え、中に入る前からワクワクした。

まず、三浦哲郎と司修にちなんだ展示物のあるギャラリーへと誘われた。館内は天井が高く、窓の外からの光にあふれ、宇宙、芸術、哲学、科学、数学など多様なジャンルの本が輝いていた。通常の書店では置いていない本も多いと思った。執筆に集中できる「カンヅメブース」もあり、希望者は「八戸市民作家」として登録すれば、利用できるという。

私たち姉妹は本の森に放たれた童女のように、懐かしい本や好きな作家を発見しては、ささやいたり歓声を上げたりし、気が付くと4冊購入していた。

本のまちの未来を思い描いてみる。幼子に絵本の読み聞かせをするお母さんの声が、あちらこちらから聞こえてくる。子どもも大人も、本を手に取り、先人や作家の世界観に触れる。その感動や疑問を、誰かに話す。自分の言葉で何かを書きたいという思いがあふれ、市民作家たちの本が誕生していく。そんな光景だ。果てしなく広がる物語を、私も一緒につづっていきたい。

2017年2月22日

ビッグニュース

私が所属する言語交流研究所のワールドインターンシップ（大人の海外就業体験）のプログラムで、２０１５年春から８カ月間、西アフリカに滞在した青年がいる。関西大３年の辻旺一郎君だ。２月に横浜市で開かれた講演会で、この時の体験を熱く語った。

辻くんは成人式を迎えた時、ゼロから挑戦できるアフリカへ行ってみたくなった。言葉が通じない未知の世界で何ができるのか確かめようと、今の豊かさを離れて飛び込む決意をした。両親に、日本でもできることはあると反対されたが、意志は固かった。

行き先はトーゴ共和国の地方都市パリメだった。現地の職業訓練校で、若者たちに裁縫の技術を教える先生として働きながら、民家に宿泊した。

最初にトーゴの空港に着くと、ホストファミリーが迎えにきてくれたが皆の顔が黒くて同じように見えたという。家に着いて食事になったが、出された物を「何？」とも聞けない。

食べ物や生活習慣はかなり日本と異なっていたが、言葉も全く分からないので、周りの人たちの行動をとにかくまねしていった。

時折カメラをぶら提げて外に出ると、どこを歩いても住民から声を掛けられた。撮ってくれと言わんばかりに、ポーズを取って近づく人もいた。カメラがきっかけで、コミュニケーションが始まった。

1カ月も過ぎると、周りの人たちと公用語のフランス語で話せるようになり、滞在する地域で使われていたエヴェ語も少しずつ理解していった。

ある日のこと。道端で友達に会うと、「今日何かビッグニュースあった?」と聞かれた。辻君が「何もないな」と答えると、「嘘だ。だって今、僕の前に君がいるじゃないか」と言われた。

トーゴは世界最貧国の一つといわれるが、人と人との関係は近く、温かい。共に生き、今ここで会えたことを喜ぶ気持ちを、「ビッグニュース」という言葉で相手に伝えていたのだ。

人を大切に思う気持ちを口にすることが、人間として生きる上での根っこなのだと、辻君は学んだ。私は講演を聴き、それは当たり前のことのようだが、今の日本では失われつつあるように感じた。

実は、私自身もアフリカの青年との出会いから思いもかけないことがあった。カメルーンからの留学生で、11年4月に来日した。横浜市の大学宿舎に住みながら、わが家にも時折泊まりに来た。本国の女性と結婚して日本へ呼び寄せると、一緒に遊びに来てくれるようになり、私たち夫婦を「パパ、ママ」と呼ぶようになった。

やがて本国に戻り、子どもが生まれた。その赤ちゃんに、主人の「ハルシ」という名前を付けてくれたと聞いた時、私と主人は感動で涙した。

辻君はこれから、日本とアフリカの架け橋になりたいと言う。私たち夫婦もハルシ君へ会いに、早くカメルーンに行きたい。人々との出会いから、いつの間にか人種や言葉の壁が消え、海の向こうにも世界の家族たちの笑顔が輝いて見える。

２０１７年3月29日
全11回　デーリー東北新聞

第2章
あなたに逢いたい

「ふみづくえ」1997／1998

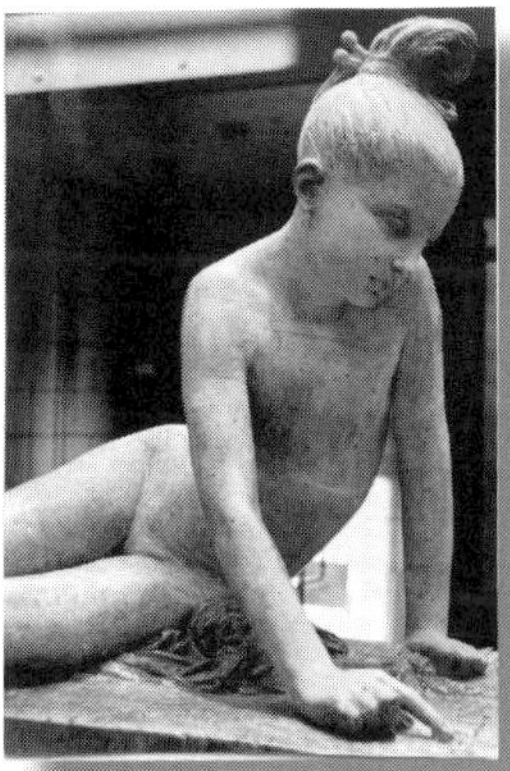

ニューヨークの春

桜つぼみが揺れる春風に送られて、三月十八日、アメリカに出発した。

私の所属する言語交流研究所のカレッジ[*7]から出版された『フーリエの冒険』[*8]『量子力学の冒険』という数学や物理の本が、英語に訳されてアメリカで発売されて一、二年になる。これらの本の作者は、カレッジで学んでいる若者や主婦、おばあちゃんたちだ。みんな理数系には縁のない素人なのだが、その本がアメリカの大学で教科書にも採用され、話題になっているというから驚きだ。

数式や物理をみんなでワイワイ話しながら、理解していった過程（プロセス）をまとめた本なので、誰にでも分かる楽しい本として日本でもファンが多い。

今回はアメリカで、本の読者を中心に講演会が開かれることになり、言語交流研究所代表理事の榊原陽さんに同行して十日間の旅に就いた。ロサンゼルス、ボストン、ニューヨーク

＊7／1984年設立、トランスナショナル カレッジ オブ レックス（通称トラカレ）。「ことばと人間を自然科学する」をテーマに、数学や物理、古代日本書物、音声の解析、赤ちゃんの言語生成等から、人間の言語を探求。

と、各地で大勢の人々の熱い視線と拍手に迎えられた。

講演の中で、榊原さんは語った。「数学も物理も外国語も、自然がどうなっているかを記述する〝ことば〟です。誰かから教えられるのではなく、先輩の人もわからない人も一緒になって、豊かな〝場（フィールド）〟を創っていくことを通して、人間は誰でもどんなことばでも見つけて〝話せる〟（分かる）ようになります」。そのメッセージを聞きながら、我が身の道程《みちのり》を想った。

幼い時から私は海が好きだった。鮫の港や種差海岸から太平洋を望んでは、アメリカやヨーロッパに憧れ、未知の世界を夢見ていた。しかし、外国や外国語の壁は厚かった。が、いつのまにか仲間と一緒に親しんできたように、『私でも、物理や数学や何語でも楽しく〝話せる〟よ』と実感できるようになった。

ニューヨーク五番街の講演会場に、八戸高校の旧友だった長島志津子さんが現れた。お互いに思わず「カミちゃん！」「タカスギさん」と昔の名前を口走り、一瞬にして顔は少女になった。多感な青春は東大安田講堂が炎上した年に始まった。ある日、キャンパスのデモ隊の中でヘルメット姿の彼女と遭遇した。それから二十八年。結婚後、ご主人の仕事で渡米し

＊8／『フーリエの冒険』『量子力学の冒険』スペクトル解析のフーリエ級数、粒子と波動の二重性を持つ量子現象を、素人学生たちが仲間で見つけたプロセスを言葉にしていった数学、物理の書。

の十四、五年になるという。空白を埋める会話は尽きず、「カミちゃんは一番箱入りだったのに、今は国際派になって、感動だネ」「港を志して海を渡って、志津子さんの名前通りになったネ」と、最後にひしと抱き合った時、互いの現在《いま》を抱いた嬉しさに涙が溢れ、ニューヨークの夜は更けていった。

1997年4月9日

季節と風景の中に

東京の生活と忙しい仕事の合間に、一日でも自由な時間が取れそうな時は、すぐさま東北新幹線に飛び乗る。

今年のゴールデンウイークは三、四日まとまった休みがとれ、母の住む八戸市の家でくつろいでいると、近くに住む妹から電話が入った。「明日はお天気も良さそうだから、温泉に行かない？」。私は温泉と聞くと、思わず承諾してしまう。

翌朝、車に乗り込み、朝日に送られて八甲田を横断。ブナ林や、雪の壁の中を疾走し、抜けるような青空のもと、残雪の残る八甲田連峰が一望できる睡蓮沼で深呼吸した。フキノトウ、ミズバショウ、ザゼンソウなど、いたるところで春が歌い始めている。

酸ケ湯で朝食を取りながら、辺りの風景を眺めていると、六年前の出来事が、映画の一シーンのように浮き上がってきた。それは、フランス人ご夫妻を八戸に招待した時のことである。

ヨーロッパで、ホームステイによる家族の交流を始めようとした時、外務省や関係団体にお願いに行っても、道はなかなか拓かれなかった。

しかし、あるフランス人教授に相談したところ、ご自身の兄弟、親戚が住んでいる、フランス・アルザス地方のマズボー村に相談してみようと言ってくださった。そこから、教授のお姉さんのモニークさんとそのご主人で学校の先生であるトニーさんとの出会いが始まった。マズボー村は、ボージュ山脈の青い山々を一望する、人口三千人の静かな村。初めてその村を訪れたとき、村の集会の席で長老に「こんな小さな村まで、日本人は何を売りにきたのかね」と言われた。不可能からの始まりも、やがて村の人々の善意に支えられて、初交流が実現した。一週間の滞在後には、駅でお互い涙を流して別れを惜しんだ。

それから三年間、村の人は貯金をして、マズボー村より三十人が来日した。モニークさんご夫妻は、八戸の私の実家にホームステイすることになった。そこで私は、ぜひ温泉にと、妹夫婦の協力で、モニークさんご夫妻を、酸ケ湯、奥入瀬、十和田湖巡りに誘った。二人はとりわけ酸ケ湯が気に入ったようだった。一人で男湯に入ったトニーさんが心配で、先に出てきた見知らぬおじいさんに聞いてみると、「外人さんが、肩まですっぽり漬かって頭さタオルっこのせで、真っ赤になってあゝした」ということだった。それから、八戸の海とウミネコ、五戸の町も楽しんだ。

別れの日、トニーさんは「メルシーボクボク、アリガトボクボクー」と父の肩を抱くと、父も「僕ボクボクー（私も本当に嬉しかったです）」と言って、マズボー村での再会を誓った。

しかし父は約束を果たすことなく二年前に他界した。

故郷の自然に向かい、家族に囲まれながら、季節と風景の中に、遙か彼方のトニーさん、モニークさん、そして亡き父も、生き生きと生き続け、一緒に時を刻んでいると感じた。

1997年5月14日

再会を誓って　パルルメゾンにて

線を消す

先日、埼玉県東部の杉戸町で開かれた杉戸町国際交流協会の集いに講師として招かれた。杉戸町は人口四万六千人の田園都市。『二十一世紀の夢あふれる杉戸』を目指して、豊かな環境づくりに町ぐるみで取り組んでいる。「出会いがたのしい！ことばがおもしろい！誰にでもできる国際交流」と言うテーマで、外国語との出会いや十四、五カ国の海外体験を基に、話を進めさせていただいた。

私が初めて外国の方に会ったのは高校生の時、三沢の米軍ベースでのこと。「ハーイ！」と話しかけられて、「アッ、なんて答えるんだっけ、知らない」と思った瞬間、頭が真っ白になって何も答えられず、『会話は難しい、外人はダメ』と言う思いに陥った。

大学卒業後ヨーロッパを旅した。外国語として何年勉強しても話せないのに、その国に住んでいる人は勉強しなくても普通に話している。言葉は実に不思議だと考え始めた。

十五、六年前、私の所属する言語交流研究所で、韓国語を学ぼうという活動が始まった。今でこそ韓国とはだいぶ近い関係になってきたが、そのころの私は、お隣の国の人や言葉について考えてみたこともなかった。『隣を越えて世界は無い。英語で世界を結ぶのではなく、相手の人の言葉で話すことが平な（平等な）関係を作っていく』という呼びかけに、私は頭を殴られる思いだった。私の中に、アメリカやヨーロッパには憧れるが、アジアには…と言う、どこか平ではない価値観が在ることを思い知らされたのだ。

まもなく、青少年の日韓交流の準備のために韓国を訪問した。初めて聞く韓国語は、語調が強くケンカでもしているように思われた。帰る前日、幼稚園を訪問するとかわいい少女が近づいてきて、「ソンセニン（先生）、サヨウナラ」と手を振った。異国の言葉の嵐の中で「サヨウナラ」を耳にした時、全身に電流が走った。たった一言だけど、心に窓が開かれる想いだった。韓国語で話したいと初めて思った瞬間である。こうして韓国語に耳が開いていくと、面白い発見があった。言葉の調子がどこか懐かしい。語尾みたいなところが、～ンダ、～ンダと聞こえてきて、まるで東北弁のようだ。どこか一つでも似ているところが見つかると、今まで遠かった外国語は近い友人のように感じられる。発見はどんどん広がり、ペゴパ

（お腹ペコペコ）、ノップダ（背高ノッポ）など、日本語の中に韓国語の影響が沢山あることが分かってきた。

講演会の席で、杉戸町の小川伊七町長さんが研修で七戸町を訪ねた体験を話された。—町の人々が「ワー、ワー」「エッサ、エッサ」と大騒ぎしている。初めは外国語のようでしたが、耳を傾けていたら、「私」「家に」だとだんだん分かった—とおっしゃった。

方言でも外国語でも、本来的には人間の話す言葉に変わりはない。耳を開き、心を開き、目と口も開けば必ず通じあう。外国語とか外国人という線が消えて、うれしい出会いと言葉が生まれていく。

1997年6月18日

夏に寄せて

私は夏が好きだ。何といっても暑いこと、そして光がみなぎり、空気が密になる感触。常温では潜んでいる想いが、熱気によって弾ける、暑さと熱さの故である。

夏は国際交流の季節でもあり、私は、仕事で夏はほとんど海外で過ごして来た。これまで体験した一番熱い夏は、アメリカ・アリゾナ州でのこと。ロサンゼルスからフェニックスの空港に降り立った時、オーブンを開けた時のような熱風に襲われて、倒れそうになった。現地の人は、日中は冷房の利いた室内で過ごし、夕方から野球や水泳を始める。遊園地、ピクニック行きなどもすべて夕方からだ。

母親たちは朝、大きな水差しに紅茶の葉と水を入れ、外に半日出して置く。すると、水がお湯になり、美味しい紅茶ができている。サンティ（太陽のお茶）と称して常飲する。街の中でも、電柱大のサボテンがニョキニョキ生えていて、黄昏時は真っ赤な夕日にシルエットが浮かび上がり、実に美しい。サンティを飲みながら家族が笑い合う、あの透明な空気と純粋な熱さを思い出すと、今すぐにでも飛んで行きたくなる。

タイに友人が住んでいて、随分前に訪ねたことがある。バンコクから郊外のローズガーデンに向かうと、道沿いに川が流れていて、その川に沿って民家が立ち並んでいる。家の前に大きなカゴのような物が取り付けられている。友人に尋ねると、時折川に降ろすと魚が掛かって、その魚や庭のバナナを食べるのだという。タイの人は猛烈に働くが昼寝もする。小さな事にクヨクヨ悩んだりせず、在りのままを生きる。衣食住に迷いはなく、生きることは実にシンプルだ、と力が湧いてきた。

ヨーロッパの人々は、夏のために他の季節を働いている、と言っても過言ではない。子供たちは国を越えて長期キャンプに参加したり、大人たちは一切仕事を停止して、海や山で、夫婦や家族、友人たちとの対話を、日没まで楽しむ。自然とも対話しながら、光の中でとる食事は最高で、日本で再現しようとしても、ビルの谷間では、あの味と緑の風の感触は得られない。

今年も夏が巡って来た。私の職場のある渋谷は、茶髪の女子高生や携帯電話で話す若者で賑わっている。毎日の風景であるが、見慣れぬ事がどんどん生まれてきて、ふと外国、いや、違う惑星に来たのか、と思うことさえある。

世界は今、〝マンガ〟ブームで、日本の漫画やプリクラに憧れて、今年もフランスやアメリカから高校生たちがやって来た。遠い、狭い、暑い日本に何を求めて来るのだろう。

北フランスのリールから十八歳のブルーノ君がやって来た。一八〇㌢の巨体だが、無口でシャイな性格。ホスト家族に紹介した時も無言だったが、子供に纏わりつかれたり、人の中で揉まれているうちに、人の温度によって〝弾けて〟しまい、朗らかでお喋りな別人になってしまった。日本は、人と人の距離の近さが素晴らしいのかもしれない。人が熱い日本の夏を心ゆくまで楽しみたい。

1997年7月23日

真夏の夜の夢々

終戦記念日の八月十五日の夜、八戸市の一角で、八戸高校二十一回生同期会が開かれた。

私はこれまで、同窓会や同期会といったものに縁が薄かった。過去を振り返り、昔を懐かしむ雰囲気が苦手で、それより何より海外出張等の不在によってほとんど出席できなかった。

六月半ば、東京の自宅に同期会の案内が届いた。来年は二十一回生が同窓会の幹事年にもあたっており、一人でも多くの人に呼び掛けをしたいため、消息が不明になっている百人近い同期生の名前も同封されていた。その一人一人の名前を眺めていたら、三十年近いタイムラグは一瞬にして消え、半数近い人の顔が、当時のままのツメ襟や制服姿でくっきり浮かんできた。みんなどうしているだろうと思うと、その同期会に顔を出して見たい衝動にかられていた。

私にとっての高校生活の印象は、勉強一色に塗りつぶされている。受験に向けて朝課外や夜課外が強化され、お弁当を二食分持参した時もあったと思う。それでも、階段の下が部室になっていた演劇部での練習や文化祭、体育祭、修学旅行、名物先生の表情や声など、楽しい思い出も次々に浮かんでくる。共学であったにもかかわらず、男女間の会話は胸のときめき程度にとどまっていた。黙々と学び、黙々と未来を夢想した青春の日々であった。

お盆休みで帰省が叶い、空白の変化を予感するちょっとした不安と期待、気恥ずかしさが入り混じった気持ちで会場に向かった。会場を見渡すと、五、六十人は既に飲みはじめていて、親しげに談笑している。

私は一際華やいでいる女性陣のテーブルに加えていただいたが、一瞬にしてほとんどの顔が分かってしまった。会話は弾み、男性軍がたのテーブルから移って来たり、女性軍も会場中の各テーブルに散って、ますます会話に花が咲く。自分ももはや十分におばさんであるが、男性は頭の毛が少し薄くなったり、中年太りしたりで、総勢おじさんである。

それでも顔がまったく変わっておらず、すぐ相手の名前を呼ぶことができた人も多い反面、「ところで、どちらさまでしたっけ」と最後に切り出したりも。

「実はアンダさ憧れてだんだ」「早くゆってよね」と、おじさん、おばさんの告白に笑いの渦が巻く。無口の青春は一変して、皆快活で、饒舌になってしまったのには驚いた。

家族自慢、仕事や景気についての話も止まらないが、人生後半の展望としては、「遊ぼう」「面白いことしよう」と、軽く明るく、楽天的な未来を描く。

我ら団塊の世代の後続ランナーは、常に競争社会の中で憧れと絶望を繰り返し、必死で走り続けてきた。そして、バブルが弾け、今は金融ビッグバンの時代に突入している、かくなる上は、自分らしさを大切にしよう！　とお互いにエールを送りあっているように思われた。

話は尽きず、少年少女の夢の続きを語りに、八戸銀座に流れていった。

1997年8月27日

水墨の彩

東京銀座の美術館で、先週一週間、松本奉山水墨画会展が開催され、私も門下生として作品を出品した。

私と水墨画の出合いは十八年前にさかのぼる。当時私は、海外に出れば出る程、もっと日本的なことを学びたいと願っていた。その頃、水墨画家松本奉山先生との出会いに恵まれた。

奉山先生は、大正十四年九月二日愛媛県今治市に生まれ、十七歳より松本尚山氏に師事。のちに分かったが、奉山先生は、二百回以上も海外で個展を開催したり、最近では、四万十川の四季を水墨画で描いたことがテレビで特集される等活躍されている女性であった。

私は幼少時より色彩が好きで、図画工作が得意だった。独学で油絵も嗜《たしな》んだが、水墨画への関心は皆無だった。

就職後、職場の先輩の熱心な誘いにのり、足を運んだのが松本奉山水墨画塾展であった。

会場には、画歴の浅い人からベテラン組までの作品がずらりと並んでいた。私は、白と黒だけの世界に、「墨色は柔らかい。色彩以上に色がある」と、強烈に思った。どの作品も混じり気のない綺麗さがあり、澄み渡っていた。南画に代表される花鳥山水のような饒舌さはなく、むしろ抽象画を思い起こさせる、静かな「憩い」と「感動」があった。

先輩から奉山先生を紹介された。「絵をやりたいのなら、水墨画がえぇー」という先生のキリリとした口調に、私は「お願いいたします」と入門を申し込んでいた。


入門して私は、早速困難に直面した。膝を折って正座することが難しいのだ。物音ひとつしない稽古場で、道具を定位置に揃え、墨を磨る。先生が描かれた手本を部分的に、全体的に、何十回、何百回と習《さら》って運筆を習得する。正座すること二時間から三時間。すべてが初体験だった。その上、先生が筆一本で瞬く間に半紙に森羅万象を描き出していくさまを目の当たりにして、大変な人の門下生になってしまったと身震いしたものだ。

水墨画とともに歳月が流れ、今年は「亀」とスケッチによる「丹沢」を描く。先生は紙に向かうと、一瞬にして甲羅を描きあげ、頭部を突き出し、足、尾の鋭い、しかし慈愛に満ちた亀が完成した。その間四、五秒！私が何度甲羅の形をなぞっても先生の描いた亀の立体感、質感にはほど遠く、先生の叱言が飛ぶ。私は何度も何度も挑んでみる。墨色は透明感が命だ。迷いが生じると濁る。

ぎりぎりまで練習を重ねた頂点で、先生から一枚の画仙紙が渡される。本番だ。紙の厚さは〇・一ミリもない。水を含むと墨はどんどん広がる。迷いは禁物。布巾で何度も筆を整え、筆先に微量の墨をつけ、水を含ませて、画仙紙に筆を突き刺すように一気に運ぶ。描いた直後は紙が水を含んでいるために、画面には微かな揺れが生じる。

私にとって水墨画の魅力はまさにこの揺れにある。自然の息吹をそのままに、水と墨が醸し出す〝ゆらぎ〟として画面に表現されることに、感動があるのだ。

会場の一角で、表装された「亀」と「丹沢」は、今の私の鼓動そのものを伝えていた。

1997年10月1日

松本奉山先生の思い出

命 祈り 愛　松本奉山先生とともに

松本奉山先生に初めてお目にかかったのは一九七九年の秋、東京美術倶楽部で開催されている塾展であった。職場の先輩が出展しているので誘われたのだが、当時の私は西欧芸術に傾倒していて「水墨画」は遠く、お付き合いで足を運んだ。

しかし、会場に足を踏み入れると、塾生皆さんの作品が運んでくる世界は素晴らしく、清らかで凛とした空間の中で『時間が見える・・』と、なんとも言い難い新しい感動が生まれていた。

と、髪を挙げ、和服姿の女性が現れて、わたしは水墨画を初めて観た感想を述べ、自分も絵が好きなことを付け加えると、「絵が好きなら水墨がええ」と促され、「宜しくお願いいたします」とその場で入門が決まった。

そこから東京新大久保の画塾に通う日々が始まる。ご挨拶、お道具の扱い、正座、硯に墨を磨る、半紙をおく・・これまでの私の人生では経験したことのない所作・・というより、所作を生み出す身体・精神・頭脳の修練が始まる。

奉山先生が「蘭」を描いた。一瞬！だが、蘭の花、ひとひら、ひとひら、花弁、花の根元、茎、葉ー横に擡がる、縦に天に伸び上がる葉、その一瞬は、植物の命の営みの悠久の時間にも感じられた。「蘭」が歌うように咲いている。

今度は自分で筆をとり、筆に水を含ませる、筆先に墨をつける、筆を紙にのせ、ぁ、ぁ、滲みがひろがり、薄い柔らかな花びらの始まりさえ始まらない。「墨磨り三年や」奉山先生のお声。墨を磨れるようになるのに三年はかかるということだ。月に一度奉山先生に神戸から上京していただくのだが、画塾への足どりは重く、覚束ないものになっていった。大変なところに入門したものだ・・。

花びらを何十回、何百回と描く。描くというより創りだす、とも違う。きりりと水を切った筆に墨を微かに付け、水を含ませて穂先を紙に置く、と同時にしっかりゆっくり筆の腹をついては浮かせながら静かに引き上げる、やっと花びらが現れる。できた・・と思うと次は描けない・・全身の想いや感動、観念が握る筆に伝わり、墨、そして水が化学反応を起こし、極薄の画仙紙に姿を現す・・水墨画は凄い・・三年経っても墨は磨れず、しかし水墨画世界の魅力がひろがって、歳月が経っていった。

塾展を前に『城ヶ島』を描かせていただいた。奉山先生の前でスケッチの本番に向かう瞬間を思い出すと、今でも体が熱くなる。スケッチを前に、その風景の佇まい、気配、空気、何といってもそれを描いた自分の心根を浮かべ、どこから描き始めようか、果たして質感が筆にのるだろうか・・など、一瞬思い巡らそうとすると、「張り切らんで」と奉山先生のお声。すべてが吹っ飛び、その風景の中にあった自分の想いだけが残り、画仙紙に向かう。描き終えた絵は水を含んでいるので、作品に逢うのは展覧会の会場である。「出てきたねぇ」と奉山先生がおっしゃってくださった。今にも雨が降りそうな、そして不安な面持ちの城ヶ島が浮き上がっている。松本奉山先生にご指導いただいて、二十年余の歳月が流れていた。

高野山へのスケッチ・寄せ描き旅行、お描き初め、塾展の準備・本番・反省会、パリ日動画廊の松本奉山水墨展。緊張の、そして華やかな想い出は尽きない。しかし、なんといっても日々のお稽古・・厳しいご指導の、時には涙もこぼれる稽古の日でも、松本奉山先生の芸術への愛に満たされ、いつも「わたしは絵が好きだなぁ」と思いださせていただいた。煩雑な日常生活にあっても三十余年、水墨画の道を求め続けることができたのは、松本奉山先生の深いご指導の賜物と心から感謝申し上げたい。

三年前私事婚儀にあたり、御祝いとしてお雛さまの作品と御手紙をいただいた。

御祝いの節に　雛之圖を　御送りします
ほのかな　そして　つつましやかな　そして楽しい
日々をと念じつつ
奉山

『時間が見える』と初めて水墨画に接したとき、私は何を見たのだろうか。写実的な風景や風物の中に在る本質―水墨画は抽象画・・と思ったこと、「時間」に、伝統を継承しながら独自の世界を拓いてきた奉山先生の来し方、植物の、生物の、万物の営み、自然の秩序の美しさ、命への慈しみ、そして祈り・・遥かな未来に、どこまでもひろがる宇宙・・・壮大、しかし、ほのかな、朗らかな・・・愛を、松本奉山先生の水墨画の世界に見た、のではなかったか。

雛之図

今こそ、松本奉山先生のことばが、御手本に、お稽古の空間と時間の記憶の中に、煌めいている。

上斗米成山

二〇一四年一月五日発行
「松本奉山先生の思い出」より

『あなたに逢いたい！』

　ある日職場に、テレビ局から電話がかかった。相手は、私が本人だと分かると、無性に喜んでいる様子だった。その声の女性は、『あなたに逢いたい！』というテレビ番組のスタッフの一人で、実は国際政治学者・舛添要一さんの青春を辿るというプログラムを計画中で、関係者一人一人を捜し当てているということだった。

　私は大学を卒業した一九七三年に、長年の夢だったヨーロッパへ旅立つ決意をした。しかし当時は、女性の独り旅など許される時代ではなく、結局、地中海洋上セミナーとフランス滞在を組み合わせたもので参加することになった。

　出発までの三カ月間、少しでも情報を集めようと、東京飯田橋にある日仏学院に籍を置くことにした。クラスメートは、学生、主婦、海外帰国組、これから留学する人など、十三、四人だった。その中に、舛添さんがいたのだった。

舛添さんは、初めから傑出していて、はっきりした声でよく質問した。鋭い眼差しと理路整然とした口調は、一見近寄り難い感じだが、実は社交的で女性には優しかった。身体も精神も張りつめて、青く光る鋼鉄のような印象があった。

授業のことは覚えていないが、晴れた日や昼食時には、広い中庭でリンゴやフランスパンをかじりながら遊んだことだけがよみがえってくる。その〝ピクニック〟仲間の交流は学外にも及び、舛添さんがフランス留学に出発する日は、その仲間のほとんどが羽田空港に見送りにいったことを鮮やかに思い出す。

舛添さんは帰国後、東大で国際政治の分野で活動を開始したようであった。朝まで討論するテレビ番組でその論客ぶりが話題を呼んだり、東大教授の職をあっさり棄てたりで、次第に時の人になり、そのあたりから、「あの舛添さんだ」と遠くから眺めていた。

番組収録は、四半世紀前の〝ピクニック〟を再現するという趣向で、取材は学院の中庭で行われた。結局、当時の仲間のうち駆け付けることができたのは、小田原に住む主婦の方と私の二人だけだった。

司会役の笑福亭鶴瓶さんと舛添さんの対談のあと、私たちは、フランスパンとリンゴと写真を手に登場し、対面となった。私は思わず、「ボンジュー、サヴァ？（お元気でしたか）」

とフランス語で話しかけると、舛添さんの口から堰を切ったようにフランス語があふれだした。鶴瓶さんの抱腹絶倒の質問をかわしながらも、当時を語る彼の眼差しは、鋼鉄の青い輝きを増していった。古き昔を思い出すのではなく、まさにその時代の情熱や想いが息吹いているようだった。

だれでも忘れられない「あなた」にもう一度逢いたいが、逢いたいのは、その「あなた」にかかわる時と空間であり、その「あなた」に対峙する自分自身にもほかならないのではないだろうか。舛添さんや鶴瓶さん、ピクニック仲間とあの頃の「わたし」に出逢い、あの七三年産の中庭の葡萄が、いつの間にか芳醇なワインになっていたように思われた。テレビ画面での再会の乾杯は十一月十七日という。

1997年11月5日

続・あなたに逢いたい

舛添さんと二十五年ぶりに再会する番組は、十一月中旬に放映された。新聞のその日のテレビ番組案内には『あなたに逢いたい▽マドンナ突然の出現に舛添が赤面』と記され、こちらの方が赤面してしまった。

番組は夜七時からだが、予告のために、日に何度か〝マドンナ〟が登場していたらしく、偶然それを目にした友人たちから「今晩出るの？」「舛添さんとどんな関係だったの？」等々、連絡が入って、驚いてしまった。

夜七時になり、職場で仕事仲間とテレビをのぞいてみると、いきなり『舛添要一青春プレイバック』として、東京・飯田橋駅前で舛添さんと鶴瓶さんが落ち合う場面から動き出した。二人の楽しい対話の後にはシャンソンと神田川が流れ、日仏学院庭でのフランス式抱擁の挨拶、乾杯と、まるでヴィオロンのため息…、というよりは、抱腹絶倒の十二、三分の楽しい内容にまとめられていた。

画面の私は、始終満面に笑みをたたえ、指先から爪先まで表情豊かに、生き生きと話をしており、その自分の姿に驚いてしまった。

人間は、生まれた瞬間から自分自身であるに違いないが、どれくらい自分について識《し》っているだろうか、と考え始めた。

朝起きると、洗面所で顔を洗う。歯を磨いたり髪をとかしたり、そして鏡をのぞくと自分がいる。朝の私は漠として、きりりとしていない。まして近眼の目でみる自分の顔は、幾重にも歪んでさえいる。

また、人はいつから自己との対話を始めるのだろうか。自我に目覚める十代の始め頃からだろうか、また、幼い日から独り言のように自分に語りかけてきたようでもある。いずれにしても、私自身との対話は、歓喜の時よりもむしろ、自責の念にかられる時や自分の非を戒める時になされる。従ってそれは、嫌な自分に向き合うことでもあり、時として暗く内向する。

作家の赤瀬川隼さんが「人はどんな人にも会えるが、自分という人には出会うことが出来ない」と話されていたが、自分と自分が出会い、顔を合わせて話すことは不可能である。

番組放映後、仕事関係の仲間をはじめ、長年音信不通だった方、学生時代の友人や先輩など、いまだにテレビで見たという声がかかる。「昔とちっとも変わってないネ」「いつもとホントに同じだった」等々。

また、見た人が十人いれば、その視点は十人十色で、一人として同じということはない。おませな小学生は「おばちゃん、チューしてたでしょ」と言い、デザイナーの友人は「ストッキングの色が少し濃かった」と一人一人が〃見たい〃私を創り出している。

今回何より驚いたのは、私自身についてで、人と話すときの、朗らかな、楽しい私に出会ったことだった。

普通、自分はこんな人間だ、と固定的に思っている。しかし、人と出会い、ことばを交わす機会が多ければ多いほど、人と人の間に、新しい私が生まれていく。出会う人から、ことばによって、嬉しさをもらい、輝きをもらうのだ。

これからも、もっとあなたに逢いたい、そして、もっと新しい自分に逢っていきたい。

1997年12月10日

『古事記』へのいざない

今、『古事記』が面白い。藤村由加著の『古事記の暗号』（新潮社）を手にしながら、日本の歴史や古文書のたぐいには、全く縁遠かった私が、十数世紀の眠りから醒めたかのように、自国の始まりの壮大なロマンに想いを馳せている。

我々のこどもの頃は、祖母や父母から、色々な昔話を聞いた。「桃太郎」「サルカニ合戦」「いなばの白うさぎ」等々。物語の輪郭は朧げであるが、今でも記憶の片隅に残っている。

しかし、よく考えてみると、不思議な話が多い。例えば「いなばの白うさぎ」の物語。大きな袋を肩にして大国主神（おおくにぬしのみこと）が歩いていくと、ワニをだまして皮を剥がされた丸裸のうさぎに出会う。うさぎは、大国主神の助言で、真水で洗って蒲の穂で体を包んで、もと通りになったというストーリーである。

昔は、可愛いけれどずる賢いうさぎと、ワニの対決のあたりが、結構こどもも心をとらえていた。しかし、いま考えてみると、どうして海岸にうさぎがいたのだろう、皮を剥がさなくても他の仕打ちもありそうだが、蒲の穂は治癒の薬草なのだろうか、などの疑問がわく。そして一番の謎は、この物語が何を伝えようとしているのか、ということである。

『古事記の暗号』を読み、おとぎ話のような「いなばの～」が、実は、勅令によって当時の権力者や知識人など天皇の側近メンバーが編纂した日本最古の正史『古事記』に納められていると知って、驚いてしまった。

藤村由加さんとは、十五年来の交友がある。実は「藤村由加」は個人名ではない。彼女たちは私の職場の仲間でもあり、研究部門のカレッジで日々人間とことばの営みの研究に取り組んでいる学生たちでもある。彼らを代表する四人の名前を合成して、藤村由加さんが誕生した。

藤村由加さんたちは、赤ちゃんのように、韓国語、中国語、ロシア語等に耳を傾ける。そして、「あれ、韓国語でおなかが空いたこと、ペゴパって言うみたい。ペコペコとそっくり」、「プリプリ怒るっていうけど、プリって韓国語でツノのことだって」とワイワイ発見。今の日本語の中にも、実は韓国語や中国語の影響があるのだ。古代の漢字だけで書かれている古典を、韓国語や中国語なども含んだ多言語の視点からメスを入れて、『人麻呂の暗号』『額田王の暗号』『枕詞千年の謎』（いずれも新潮社刊）のベストセラーを世に送り出してきた。そして昨年暮れ、多言語的視点に加えて、中国の「易」の思想をもって、神々の命名の謎に迫った『古事記の暗号』を上梓した。

易というと巷の占いをイメージするが、古代に於いては、政局や森羅万象を司る、自然や人間の営みの法則そのものであったに違いない。先人たちは、大陸の「易」の思想を基に神々を誕生させ、命名して、全く新しい日本固有の『古事記』の世界を作り出したと思われる。千数百年前の先人たちの意図と展望が脈々と伝わってくる。

『古事記の暗号』は、個々の説話の解読書ではなく、大国主神は何の神か、袋の中身は何か、何故白うさぎか、などの関連を易に重ねながら、『古事記』成立の独自性と多様性の視点を明らかにしていく。藤村由加さんと一緒に、新しい『古事記』の冒険に、いざ、立ちめやも。

1998年1月14日

有元利夫の空

谷中《やなか》へと向かう。この二月二十四日で十四回忌になる画家有元利夫の墓に参るためだ。日暮里駅から上野の方向に歩くと、ほどなく谷中の町に入る。震災や戦火を免れたので、谷中には昔ながらの町並みと江戸情緒の佇《たたず》まいが、まだまだ残っている。目につくのは、べっ甲、錬金、箱描き、石工等の看板。木造に瓦屋根、木目が浮き出ている引き戸のガラス窓から鉋、砥石が見える。いつの間にか失われてしまった職人たちの生活がある。

谷中は、寺と墓の町でもある。ひとつの町内に寺が五つ六つ続いており、谷中を愛した文人や芸術家たちの墓も多い。有元の墓は、日暮里駅と東京藝術大学の中程にある長久院にある。有元は三十八歳で他界するまでの生涯を、この職人と芸術家と死者たちの魂が交錯する谷中で過ごした。

私と有元との出逢いは、都心の書店で一冊の画集『女神たち』（美術出版社）を手にしたことから始まった。私には、扉絵一枚で十分だった。その画面から発信される波動が、私の何かに触れ、全身の弦が奏《な》り始めた。

有元の画風は独特である。ひとつのタブローに女性とも男性とも思える人物（あるいは神）がひとり。その表情は静かで、眼差しは遙かである。徹底した素材へのこだわりから、サンゴや大理石を乳鉢で磨《す》り、どこにもない色や感触の絵の具を作り出す。

時を経た「風化」を好み、「手垢にまみれた」通俗の美を、彼の様式として創り出すことに命をかけた。まるで時間そのものに挑戦するかのようだ。タブローのみならず、ブロンズや木工、作陶、リトグラフ、銅版画、水彩、書、篆刻、額縁作りに至るまで手掛け、そのどれにも才を放つ。

一方、音楽にも造詣を深め、作曲やリコーダーの演奏も手掛けている。洋の東西を越えた深い静けさと慈愛に満ちた偉業に、安井賞特別賞や安井賞の栄も与えられた。

当時私は、画集を通し、また時折舞い込んで来る情報で展覧会に出掛けては、ますます有元世界の虜になっていった。そんなある日、新聞の訃報で、有元が病気で他界したことを知った時は、地球の自転が止まったかのような衝撃を受けた。その夜から『女神たち』を眺めているうちに、私の中に内在していた言葉がとめどもなく溢れ出し、『有飛行―有元利夫と仲間たち』（風濤社刊）の一冊の本になった。有元の女神たちに誘発されて、〝有〟を含んだ〝無〟の中に結晶作用が起こり、私自身が新しく生まれた。

有元の墓に手をあわせて冥福を祈り、長久院を後にして、上野に向かって歩き出す。何気なく西方を眺めると、冴え渡った黄昏の空に、雲がたなびいている。彼の絵の中に度々現れるあの雲である。瞬く間に夕日に染まって空は赤く燃え、寺の屋根や木の幹が黒黒と浮かびあがる。冷たい静けさの中に光を見た。イタリアルネサンス美術やバロック音楽との類似性などを挙げられる有元芸術の真髄は、実は、この谷中の風景と鼓動そのものだった、と気づかされる。

この日、谷中の空で有元利夫の微笑みに会った。

1998年2月18日

ПОЛЕТ К БЫТИ
有飛行
有元利夫と仲間たち
ТОСИО АРИМОТО И ЕГО ДРУЗЬЯ
МАСАКО КАМИТОМАИ
ФУТОША КО., ЛТД.
ТОКИ
コトバは　音楽のように
音楽は　滑走する思考のように
思考は　せつない恋のように
恋は　あふれ出るコトバのように
空間としての記憶をつくる
長谷川龍生

夢をかたちに

私の所属する言語交流研究所で、昨年から高校留学制度を始めた時、やっと夢が叶う日が来たと万感の思いであった。全国から公募し、第一期生としてアメリカ、カナダほか六カ国へ三十九人を送り出した。今期は、ロシアに留学したいという希望者も含めて、六十人の高校生が世界へ羽ばたく準備をしている。

各国政府間の高校生交換留学制度が整い、一九六八年からは日本の高校生も留学生として現地公立高校の授業料が免除され、帰国後はその履修単位が振り替えられて、そのまま進級して高校生活が続けられることになった。

大学を卒業して初めてのヨーロッパ旅行の際、フランス・デジョンに滞在した。夏ということで、その大学町に世界中から学生たちが集まっていた。ある日、郊外へのバス旅行の企画を知って申し込んだ。当日は四十人程の若者たちと引率の先生がバスに乗り込み、目的地までの車中、それぞれの国別メンバーで何かすることになった。「次はジャポネ（日本人）！」と呼ばれて立ったのは三人だったが、お互い知り合いでもなく、相談したところ何のアイディアも浮かんでこない。共通に知っている歌もなく、結局か細い声で『君が代』を歌ったが、拍手ひとつ起こらなかった。

誰かに何かを聞かれて、たとえ内容は理解できたとしても、自分の主義、主張がないので、答えられない自分に何度も出会った。小さい頃から、自分の意見や考えを徹底的に述べる環境で育ったヨーロッパの若者たちには太刀打ちできない。世界に通ずる若者になりたい、世界に通ずる若者を育てたい―、こう思うようになったのは、二十三歳の『君が代』が、そんな悲願の象徴として心の中にあったからだ。

留学といえば、選ばれるとか特別なというイメージが拭えないが、私は「誰でもどこの国にでも行ける、世界中で一番豊かな内容のプログラムにするぞ」と取り組んだ。たった一人の留学志望者を囲んで、家族、友だち、学校、一緒に行く仲間で、準備の輪が広がる。

―赤ちゃんはその国に生まれただけで、その環境の言葉を難なく話しているのだから、言葉は目と耳と口を開けば必ず解るよ。ホームステイ家族の一員になるんだよ。日本のように、覚えた知識をテストで評価されるのではなく、積極性や個性がポイント。学校では先生も友達、一言でも話そうよー。

皆の激励を胸に、高校生たちは出発していった。留学先から、生活、学校の様子、自分の変化など、月末にレポートが送られてくる。そのレポートを家族、学校、また、世界にいる仲間に発信する。離れていることが、親子、仲間を固く結ぶ。留学中の高校生は潜んでいた自分らしさを最大限に発揮し、七転八倒しながらも逞しく生きている。

高校生留学に関わり、十五、六歳のしなやかさに激励されながら、我々大人も夢が膨らんできて、何歳になっても、世界の家族や学校で学ぶ留学制度もつくろうと燃えている。

故郷と世界に橋を架ける、心と心を繋ぐ、夢をかたちにしていくー、これからも皆さんとご一緒に！

1998年3月25日
全11回 デーリー東北新聞

第3章

風のかけら

ドイツ・ベルリンより　1991年

春、といえどもベルリンはまだにび色の冬雲で覆われていた。今日は特に冷え込む。休暇を過ごすために妻と2人のこども達が母の田舎へ向かった夜、ベルリン科学技術振興財団に勤めるラインマン・カーストン博士は、部屋の片隅にある鉄製のストーヴに石炭を入れて火を起こしながらハイゼンベルクの『Der Teil und das Ganze』を取り出した。

ひらり、本の間に挟んであったあかね色のカードが落ちた。いつ眺めても楽しいカード。どうやら11カ国語で書かれてあるらしいのだが、博学のボクにさえ読めない文字もあるが、細かい意味はやがて運ばれるとして、その暗号のようなカードは、時空を越えたヒッポファミリークラブの世界へボクを誘うのだった。

そう、今日は、フラウ・マザコが初めてベルリンを訪れウンターデンリンデン通りを二人で歩いた日と同じように、寒さが肌を刺す。マザコは、カールマルクス広場のマルクスの銅像の前で、「ドドゥラスビーチェ、オーチンプリアトナ！」と言って敬礼した。マルクスはドイツ人なのにーとボクたちは笑いあった。彼女は、そして、ボクのホストファミリーのザザクーラ家は、どうしているだろうか。いろいろ想いを巡らしながら、本を開いて読み始めた。

『Ⅵ．新世界への出発（１９２６―１９２７年）

クリストフ・コロンブスのアメリカ発見について、そもそも彼の偉大な点はどこにあるか、ということをきく人があるならば、それは西回りのルートでインドへ旅行するのに、地球が球形であることを利用しようというアイディアではなかった、と答えねばならないであろう。このアイディアはすでに他の人々によって考えられたものであったし、彼の探求の慎重な準備、船の専門的な装備などということでもなかった。それらのことは、他の人でもやろうとすればやれたに違いない。そうでなくて、この発見的航海で最も困難であったことは、既知の陸地を完全に離れ、残余の蓄えでは引き返すことがもはや不可能であった地点から、さらに西へ西へと船を走らせるという決心であったに違いない。

同じように、科学における本当の新世界も、ある決定的な箇所において、今までの科学が土台としていたものをはなれて、いわば虚空へ飛び込む覚悟がなければ発見できないものである。―――』W．ハイゼンベルク「部分と全体」湯川秀樹序・山崎和夫訳　みすず書房。

寒い《コルッ》。今日の寒さでは、部屋中が温まるのに、そうとうの時間が必要と思われた。やおらボクは立ち上がり、テレビのスイッチをひねった。チャンネルをガチャリ、ガチャリと回しているうち、衛星放送の日本番組らしき画面に出くわした。流れて来た音楽♪

Quoi Quoi Quoi Quoi

Was Was Was Was

Shema Shema Shema Shema

Naani?

を耳にして、思わず体が飛んだ。

おはようございます。ＮＨＮモーニングワイドの松下です。

さて、今朝は9分使いまして、最近では『量子力学の冒険』でもお馴染みの〝[9]ヒッポファミリークラ

＊9／通称ヒッポ。多言語が聞こえてくる環境をつくり、自然なプロセスで言語を習得しながら交流するクラブコミュニティ。

ブ〟についてお伝えいたします。

以前、１９９０年7月にも一度、モーニングワイドで特集いたしましたが、昨年10月、ヒッポファミリークラブは10周年を迎え、多言語誕生10年を記念して、来る3月15日、東京三軒茶屋の昭和女子大学・人見記念講堂にて特別フォーラムを準備しております。

今日はヒッポファミリークラブの最近の話題や10周年を迎えた国際交流についてなど、たっぷりお楽しみいただきます。吉原ディレクター、よろしくお願いいたします。

¡Hola! Guten tag, あにょはせよ～

やや、すごいですね、吉原さん！

いえ、いえ。ヒッポのみなさんと一緒にいると、外国語は難しいどころか、カンタン、カンタン―誰にでもできる、と思えちゃうから面白いですね。その節はお世話さまでした。

僕たちの予想は的中いたしまして、7カ国語を話せる人が増えて来ましたら、新しくメンバーになる人はもっと短期間で話せるようになっているそうです。

以前に特集させていただいた時は、英語、スペイン語、韓国語、中国語、ドイツ語、フランス語、日本語の7カ国語だったんですが、その後、イタリア語、ロシア語が加わり、昨年5月には待望のタイ語、マレーシア語が加わりました。

と言いますと、現在11カ国語ということですか？

何かメマイがしそうですが…。

僕もそう思っていたのですが、実は、ことばが増えれば増える程言語環境が豊かになって、益々楽しく、ラクに話せるようになっています。特に、昨年夏は、10周年を記念して10カ国との交流が実現しました。

タイ、マレーシアとの交流は、これまで5年間にお

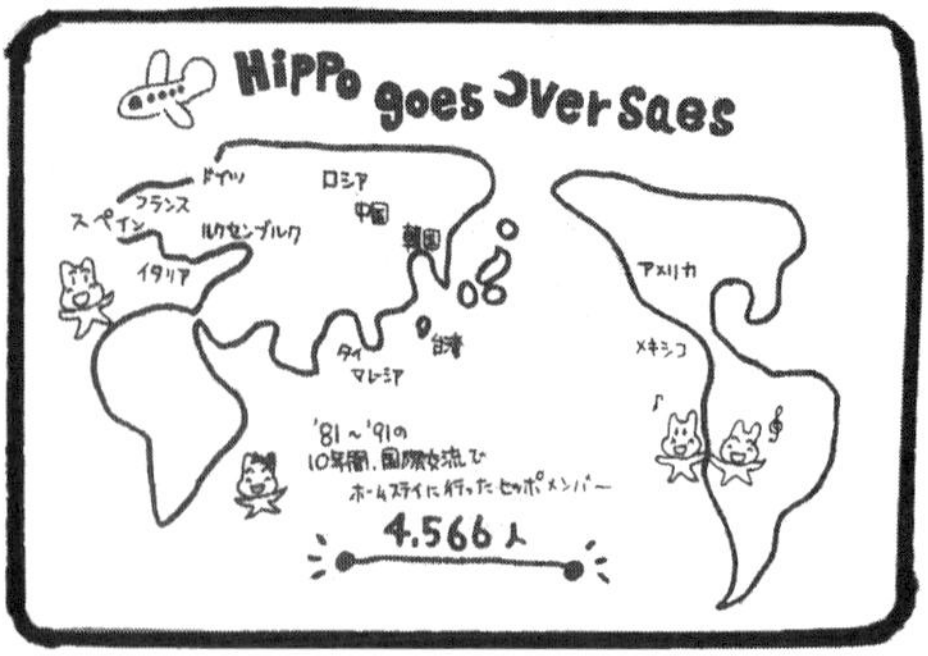

ける日本国内での（財）海外技術者研修協会1泊ホームステイの交流が実り、現地の同窓会のお世話で初の訪問となった訳ですが、新しく加わった、タイ語、マレー語、ロシア語など、ホームステイに参加したメンバーはもちろんですが、交流に参加した人の報告を聞いているうち、行かなかった人たちまで、話せるようになってしまいました。

インドの人とか、アフリカの人とか、もともと多言語の人々は、新しい言語に出会っても、あっという間にとり込んでしまうことは、先回もお話いたしましたが、ヒッポファミリークラブでは、多言語を歌える人が増えれば増える程、より自然に近い、豊かな言語環境が厚くなってきて、まさに、本物のルクセンブルク的多言語空間で、言語の〝自然習得〟が活性化されていると言ったカンジです。

また昨年秋頃から、多言語活動のファミリーに、特にお父

さん方の参加が目立って、お父さん方が中心的に参加するようになりましたら、こども達もどんどん言うようになって、いかにお父さんの存在が家庭の中で大切だったかを改めて発見したりしました。それまでは残業などで夜中しか帰ってこなかったお父さんたちが、ファミリー（地域の活動グループ）の中で顔馴染みができると、男同士、週に何回でもあちこちのクラブに参加するようになっています。マレーシア語とかイタリア語などを、カラオケのように歌うお父さんもいますし、自分のことばでスペイン語、韓国語などベラベラ話す人も出てきました。また、「あの踊り《ダンス》だけはできないー」と言っていたお父さんに限って、今は、Sing Along！Dance Along！（世界の音楽&歌にあわせて踊る）に燃えている方もいるといったように、自分の楽しさ、家族と一緒の楽しさを見つけている男たちが増大しているようです。

昨年の秋といえば、渋谷のＮＨＮのブックセンターで、ひょいと大きくて分厚い、おもしろい表紙の本を手にしたのですが、それが、何と今話題の『量子力学の冒険』の本でした。

読み始めると、いつのまにか仲間になって一緒にやってしまうといったノリですね。「ことば」を本格的に自然科学として追っかけている底力に脱帽してしまいましたよ。こりゃ我ＮＨＮが誇る「アインシュタインロマン」もやられた！ってカンジでした。『量子力学の冒険』が「７カ国語で話そう！」のヒッポファミリークラブからの出版だと思い知って、正直ショックでしたよ。

実は、僕も同様にショックを受けました。前回の取材の時から、ヒッポの中にも親しい人々がおりますが、みんな普通の人なのに、７カ国語から量子力学までやってしまう。僕にも、ぜったいできそうと思わせるのです。トラカレ（トラン

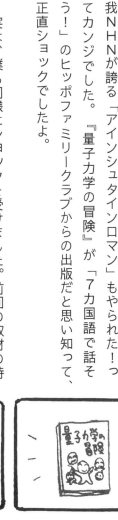

スナショナルカレッジオブレックスの略称）の研究もますます進んで、暗号シリーズ第3弾の『枕詞の暗号』や子音、母音の定量化、『DNAの冒険』など、意欲的に広がっています。

ますます、「人間=言語」の核心に迫ってきているかんじですね。それと共に、国際交流の方はいかがですか。

これまでの10年間のデータを分析してみますと、おもしろい現象が出ています。国際交流のプログラムが広がるにつれて、参加者も比例して増え、それにつれてことばが話せる人が一挙にでてきたのです。

この図からもおわかりいただけますように、ヒッポファミリークラブでは、日本国内や海外でも、年令や国境を越えて、人間としての豊かな交流を目指しています。

きょうはＮＨＮの第７スタジオに言語交流研究所・ヒッポファミリークラブ国際交流部の皆さんをお迎えしております。

いやあ、にぎやかですね！　みなさん、何語でもペラペラっといったカンジですが、外国語はどちらで勉強されたんですか、海外生活も長いんですか？

Non, non, みんな日本人で日本に住んでいます。

言語交流研究所では、研究所内の仕事空間にバックグランドミュージックとして、多言語の音源が流れています。ヒッポのファミリー活動を楽しんだり、ホームステイ交流を通して、いろんな人に会ったりしているうち、何語でもまるでネイティブのように流暢になってしまうんです。

最近では国際交流といっても珍しくない光景ですが、ヒッポの国際交流は『トランスナショナルホームステイ』と呼ばれているそうですが、特徴的な点はいったいどういうことでしょう？

今やインターナショナルということばは「国際」の代名詞として使われていますが、インターナショナルとは、２つの国の間での関わりを表しています。私たちは、

２つどころか、３つでも10でも１００でも、国を超えて、その本質のところで交流したい、むしろ、境を取り払って、同じをみつけ合うところから、お互いの違いを理解していきたいのです。
そんな願いから、インターナショナルではなく『トランスナショナル』と呼んでいます。

そう！そう！ポイントは３つ！

１！ 家族

ヒッポの交流に年齢制限はありません。０才からおじいさんおばあさんも参加できるんです。

２！ 多言語

どこの国の人でもＯＫ！ことばや文化、生活のちがいなどノープロブレン！お互いの知ってることばで少しずつ話すのって、おもしろいですよ。

3！ ホームステイ

ヒッポでは赤ちゃんのように内側からことばをみつけて言って、誰でも話せるようになるんですけれど交流もおんなじ。会社などでは肩書きとか仕事の違いとか専門的なところでしかお付き合いできないけれど、お家に帰ると、フツウのお父さんだったり。いちばんリラックスするところが家庭でしょ。いろんなカラをぬいで、裸のお付き合いっていうのかしら、外側からの観光とかではなくて、内側から仲良しになっていくの。家族の一員になっちゃうってことですね。

今年に入ってから、ヒッポで同じ時期に、メキシコ・チワワの若者たち、アメリカ・ボストン建築家たち、韓国家族メンバー、３グループの来日がありました。私のファミリークラブでも、メヒコのアドリアーナちゃんと韓国からのアッパ、オンマ、こどもの若いご家族を迎えましたが、みんなそれぞれ韓国語やスペイン語で話したり、何も特別じゃなくって、すごくフツウでした。メヒコ人と韓国人がお互いに住所交換したりして。

ボクのクラブでも、ボストンの建築家メンバーを受けたんですけど実は彼はコロンビアの出身だったんです。ヒッポの人はすぐ「オラッ！」と始まって、みんながスペイン語で話し出したのですごく喜んでました。アメリカに住んでいるんですが、アメリカではスペイン語で話したことがないのに、と驚いていました。

私もメヒコギャルアンジェラさんを受けました。みんなでスケートに行こうかということになって、アンジェラにそのことを伝えようとしたんですが、私は「スケート」という単語を知らないことに気づいたんです。で、頭に浮かんで来たのがヒッポマテリアルのおじい《アボリート》さんの話のところの、『〜〜ペケーニオ、〜ラーゴグランデ〜〜パティナーリ〜』とスケートに関係しているあたりをズラッと言ってみたら、「ア！パティナーリ〜〜」と彼女の方でみつけてくれて話が通じたんです。それから、スケート関係らしき話になったんですが、「ローラースケートはしたことあるけど、アイススケートはしたことがない」というようなことを言ったのか？私は分かったんです。赤ちゃんのことばの音から大人の方が意味をみつけてくれるーきっと、赤ちゃんとお母さんが、いつもやってることでしょ。一緒に生活してると、

お互いに慣れてくるのでことばまで似てきちゃう。メキシコ人というのを忘れてしまって、フツウの友だちとか姉妹みたいになってしまいます。

　まさに国境が消えてしまうといったところですね。多言語活動提唱者の榊原陽さんは、ご自分のお子さんが生まれたとき、「この子に言葉をプレゼントすることを男子一生の仕事にしよう」と多言語活動への航海を始めたということでしたが、実は昨年秋にお孫さんが生まれて、お祖父さんになりました。
　それではここで『お祖父さん《ハラボジ》の話《イヤギ》』をＶＴＲでお届けします。

多言語誕生10周年おめでとうございます。

ありがとうございます。

この10年間をふり返っていかがでしたか？

多言語の活動は、「この指とまれ」から、いつも勇気をもって実践した人たちによってきり拓かれて来ました。僕にとって、自然はどうなっているのかが一番のテーマです。

昨年の秋、僕は正真正銘のおじいさんになりましたが孫の航介をみていると、実に多くのことを教えてくれます。手足をバタバタさせながら、「俺はいったい何者なんだ」と一生けんめい自分を捜しているのです。毎日新しいことに出会いながら、それをことばによって見つけていくのです。

僕は、いつも自然はこうなっているに違いない—とある確信を持って多言語の活動を進めてきましたが、僕の予想を遥かに越えたところまで、みんなで見つけてきました。初めて「言語の自然習得」ということを、人間の環境をつくることで実現することに成功したといえるでしょう。

本来韓国人-Korean-というのは韓国語を話す人、日本人-Japanese-というのは日本語を話す人という意味だと思うのです。国境みたいなものは、経済や武力関係のようなもので、人工的に線が引かれたにすぎません。いろいろな友人やホームステイを通しての家族のような豊かな網の目にぶらさがりながら、赤ちゃんが言語を獲得していくようなプロセスを辿ってことばを内側からみつけていくとき、それは外国語としてではなく「母語」としてことばを習得し、そのことばを話す人となるのです。

先回の取材の時、まさにルクセンブルグ的多言語環境を人工的に日本の中につくっているとお話させていただきましたが、「母語」として言葉をみつけていくということは、嘘でない人間の関係をつくっていくということでもある理由《わけ》ですね。人工的どころか、本当の人間としての関係ができていくのですね。ヒッポの活動は、「外国語」習得ではない「母語」の習得、そして、どんなことばにも平らに開かれながら、国と国の交流ではなく、むしろ国境をとりのぞいて、人間とは何か、自分とは何かを、沢山の人々との間で見つけていく交流といってもよいでしょうか。10年の成果としては大変なものですが、さて、これからの10年、時代は21世紀を迎え

るわけですが、ヒッポファミリークラブの今後の歩みはいかがでしょうか？
皆でより平らな、そして、より楽しい世界、どんな人にとっても心地よい世界をみつけていきたいものです。ここ5年ぐらいの間に、アジアやアメリカ、ヨーロッパなどに、同じ嬉しさを、いろいろなことばで見つけて行けるような『言語場』ーヒッポファミリークラブーを20～30カ国につくっていきたいと願っています。

僕は、航介に沢山教えてもらいながら、人間とは何か、自然はどうなっているのかを、これからもみなさんと一緒に探求し続けていきたいと思っています。

航介くんと一緒に、ヒッポファミリークラブは、次の10年の大航海にすでに乗り出している、といったところですね。さて、トマコマイさんは、今年初めての『トランスナショナルホームステイ』韓国家族交流に参加されたそうですが、いかがでしたか？

マザコ

安寧《アンニョ》ハセヨ～
1991年12月28日から1992年1月4日まで、90人のヒッポメンバーと韓国

に行って参りました。おとうさんが20名もいて、家族組も多かったですし、サラリーマン、ＯＬのメンバーさんもおりました。私は、実は、ヒッポの交流で韓国へ行くのはこれが初めてでしたので、私の韓国語はどうなるのだろうとちょっと心配でした。

私のソウルの家族は、お父さん《アッパ》、お母さん《オンマ》、中学校と小学生兄弟の4人家族。韓国は何といっても同じ多言語テープ[＊10]（音源）が流れている姉妹組織のあるところ。朝は多言語の音で目がさめました。オンマと一緒に家事をしながら、台所でも居間でも、いろんなことばでしゃべったり、歌ったり、踊ったりしているうち、無口なアッパまで、表情がやわらかくなって会話に加わるようになりました。

翌日、アッパが帰ってきた時、「タダイマー」といってドアを開けました。私は、「日本語上手！《イルボンマルチャレヨ》」といって拍手をしましたが、私より喜んで、驚いたのはオンマでした。後で分かったたことですが、アッパは、会社からの帰り道何度も「タダイマ」をくり返し練習してきたとのこと。

食事後、韓国のヒッポメンバーのお父さん《アッパ》方が2~3人我家に遊びに来たりした時も、Sing Along！Dance Along！の歌でも盛り上がったり、日本のスターライト（社会人）ワークショップのノリになりました。どこの国でもアッパたちは同じだ

＊10／世界の音楽や物語による多言語の音源。当時はカセットテープ。その後CDになり、現在はマイクロSDカードにより軽量スピーカーで、自然に聞こえてくる環境をつくる。

なあとつくづく思いました。

私の韓国語は、対面式での挨拶から始まりましたが、ホームステイ5日目、郭明玉ファミリーの交流会で、私が絶好調で喋っているのを聞いたある韓国のお父さんが、「あの人は本当の韓国人です！」と言っていたそうです。

話すとき、〝あの辺の音〟みたいな感じで、ズルッと口から出てくるのです。英語などは単語とか活用など、バラバラに浮かんで、文章を組みたてながら口に出すカンジですが、今回は全く違いました。テープの一節がズルッと浮かんで、音が口から出る。でも口に出る時は、ちょっと口の方がまわらなく、舌がちょっともつれがちになり、大波の音で出るのですが、その場で2、3回言ってみたり、言う機会があったりすると、もう、そのことばはツルッとクリアして身についてしまうといった具合でした。

元旦に、アッパのお母さん、お祖母《ハルモニ》さんの田舎・京畿道に新年のご挨拶に行きました。ハルモニは耳が遠かったので、私は、段々次第に大きな声になってしまい、思いっきり大きな音を発しているうち、すごーく韓国語っぽい音やアクセントになって、まわりの家族とグッと近しいカンジになり、ハルモニや家族のみんなにとて

も気に入られてしまいました。たった1時間ぐらいの訪問だったのに、帰るとき、ハルモニは目に涙をうかべて、「トワ!トワ!(また必ず来なさい!)」と私の手を離さなかったのです。「コッ、マンナプシダ(また会いましょう)」と私も泣きました。

ホームステイは、4泊5日でしたが、楽しい家族やハルモニのおかげで、『自然習得』のプロセスを自分の体を通して「見てしまった!《ナヌンパッチ》」カンジでした。

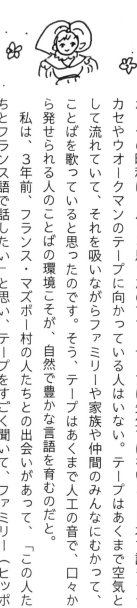

滞在中、韓国ヒッポのフェロウが、「ヒッポテープが先生です」と言ったのですが、その時私は、ハッと思ったのです。テープは先生ではないと。日本で誰もラジカセやウオークマンのテープに向かっている人はいない。テープはあくまで空気として流れていて、それを吸いながらファミリーや家族や仲間のみんなにむかって、ことばを歌っていると思ったのです。そう、テープはあくまで人工の音で、口々から発せられる人のことばの環境こそが、自然で豊かな言語を育むのだと。

私は、3年前、フランス・マズボー村の人たちとの出会いがあって、「この人たちとフランス語で話したい」と思い、テープをすごく聞いて、ファミリー(ヒッポの日常の場)でみんなと何度も言って見たりしているうちに、いつのまにかできる

ようになりましたが、韓国語は、交流としては一番人気で参加される方々が多いので、人の口からの言語として、無意識のところで、いっぱい聞いていたのだと気がつきました。周りにも話せる人が沢山いるので、何とはなしに耳に入っていたことばも、いざ、自分が話すときになると、みんながよく口にしていたことばや、いつもファミリーで歌ってくれていたフレーズが、無意識に私の口からズルッと出たのです。我子に、「早く、話せるようになりなさい」と急かすお母さんはいませんし、「はやく話せるようになりたい」と焦る赤ちゃんもいませんね。

私の韓国語は、まさにそんなカンジ。いろいろな人の韓国語のメロディやことばの波の渦の中で、完全に韓国語らしさの『型』が育っていて、それが働く空間に突入したら、作動し始めたのかな。そして、話すときは、その場で、その辺の音がズルリと寄ってきて、舌が不安定にもつれながらも、音を口から出してるうち、滑らかになって、韓国語が歌えるようになる。人の声として、音が聞こえる空間と、音が働く相手がいれば、自然にことばが話せるようになるのですね。そして、これが韓国語1ヵ国だけをやっているのではなく、多言語なので、新しい言語の波もどんどんとり込んで行く。ことばを司る言語の秩序系の根幹が濃くなって、習得（獲得）の早さは、アッという間なんだと感じました。

榊原さんがおっしゃっている「母語」として韓国語を取り込んでいって、私は、韓国語を話す人ーKoreanーになっていました。人間の豊かな関係が豊かなことばを生み出していきます。つくづく人間の関係がことばであり、ヒッポでは、もう「外国語習得」とか、「国際交流」ということばさえ、消えてしまったと実感しています。誰もが、いろいろな新しい関係を未来に向かってことばで拓いていく世界ーヒッポを、これからみんなで日本中、世界中につくっていきたいと心から願っています。感謝ムニダ。

それにしてもすごいですね。全部韓国語でお話くださって。気がついた時は、全部話せてたー赤ちゃんも実に同じカンジなのですね。僕にも韓国がすごーく身近に思えてきました。さいごに、みなさんもいろんな言葉でplease!

Oui,oui, 私はもうすぐフランスの交流に出発しますが、これから、例えば夏休みはモスクワのヒッポ家族のところですごしましょうとすると、そこに、フランスのホストファミリーや、マレーシアの友だちも来ていたり、メキシコ、韓国からも、世界中のヒッポメンバーが集まって来るなんて、Ce sera magnifique！　まさにTransnational Family～国境なきファミリー」ですね。

Si！　僕は以前、音声学の第一人者であるオハイオ州立大学の藤村靖教授に会いにいったことがありますが、トラカレの活動もぐーんと広がって、世界のいろいろな研究所との共同研究などが始まると確信しています。世界中の人が『KANJI』を共有する[*11]『ヒッポレターシステム』を開発中ですが、その他新規軸で、世界を結んでいきたいです。

私はヤシの木が大好きです。将来は、マレーシアのヤシの木の下でヒッポをやりたい。マレーシアにヒッポを作りたいです。

私の家庭では、長女が昨年アメリカ、ユタ州へ、今年は長男が同じくアメリカに行きます。仲良し家族が海のむこうにも、日本国内にも増えて、楽しい話題が一挙に増

*11／世界の様々な文字表記を、アルファベット（表音）と漢字（表意）による文字表記オリジナルシステム

えています。将来、妻と、子どもたちの海外の家族のところを訪ねたいと願っています。

ヒッポの交流は、人と人が出会って繋がって、ひとつひとつ手づくりで生まれて来ました。参加する人たちによって作られていきます。出発前もファミリーや一緒に行く仲間とことばの準備も沢山して出かけます。帰ってくると、みんなが待っていて、目を輝かせて聞いてくれます。失敗かな〜のことも、話しているうち、そうかと、みんなのネットワークの中で、交流もことばも心もふくらんでいきます。

「人は出会ってしまえばいい」出会ってしまったら、そこから何かが始まります。ことばが生まれます。そして、働く音をもっていれば、相手が意味を見つけてくれます。新しい出会いの体験の中に、新しい関係性からことばが生まれ、新しい自分が生まれます。

松下さん、吉原さん、ご一緒にヒッポの新しい冒険に出かけませんか？

Oh! Yes! Thank you! なんて思わず英語が出てしまいました。スゴイですね、ヒ

ツポ効果というか。古事記、万葉集から、量子力学まで。しかし、それは、ことばを自然現象として探求する一環したベースの上にこそあるのですね。

今後の傾向を占うこととして、世界で初めて『言語を自然科学』として追っかけている。ホントウにノーベル賞をもらっちゃうかもしれない勢いを感じますが、ヒッポのメンバーは、それを特に目的にしているわけではありません。いろいろな人と出会って、その嬉しさや未知のことをワクワクみつけていく、その結果として、ノーベル賞をもらったりーということですね。

フーム。もう11カ国語どころか、何ヵ国語でもいいんですよね。そして、何語でも話せる人がどんどん増えてくると、ひょっとしたら、ヒッポファミリークラブが、世界を変えていく日がもう来ているのかもしれません。

再见！auf Wiedersehen！
またね！
HIPPO
NHN JAPAN

それにしても、またまたお問い合わせが全世界から来ると思いますので、よろしくお願いしますよ。吉原ディレクターでした。再見！

ボクは室内の寒さなど全く忘れて、TVの画面に釘付けにされたまま、消えていく画像を追いながら、懐かしさと感動に浸っていた。

1989年11月9日、ベルリンの壁が突然崩れ落ちて、その一年後、東西ドイツが統一され、30年間近く互いに異なる軸で培われていたものがひとつになったための混乱はおびただしくなる一方、旧東側市民の我々がまず歓声をあげて歓迎したことのひとつは、西側の空と遥かにひとつに繋がったことであった。そう、一挙に生活空間が広がったのだった。

僕は、フンボルト大学で「日本学」を修め、東ドイツでは、ちょっとした「日本学」の権威であったが、統一後初めて、1990年11月に日本訪問のリーダーとして日本に、そしてヒッポファミリークラブを訪れるチャンスに恵まれたのだった。

東京・渋谷の絨毯敷きのルームでの熱烈なWillkommen歓迎会から始まって、どんな人もボク達によく話しかけ、何かを伝えたい、何かを聞き出したい、仲良くなりたいという心根にまず驚かされた。それまで僕は、日本に住んだこともあったし、日本のことは熟知のつもりだったが、僕の識っている「日本人」とはヒッポの人々は全く違うのだ。初め、彼等が話しかけてくるドイツ語は、赤ちゃんのように、何を言っているかさえわからないこともあったが、それでも諦めずにドイツ語らしきもので話しかけてくれ、お互いに意志がパアッと通じた時は、手を取り合って喜んだりしたっけ。まして一緒に生活していると、お互いにいろんな共通のことが出てくるので、ことばも慣れてくる。ホームステイ滞在は10日間余りであったが、日本的とかドイツ的な視点はどんどん消えていって、自分として、心地よさだけが増していった。

ボクは「ヒッポは、ボクが学んできた日本学のどれでもあてはまらない全く新しい人間の世界だと、つくづく思う。それは、世界中のどんな人にとっても希望を与えるのだ。『ヒッポ学』という新しい分野が必要だね」とフラウ・マザコに呟いた。

東京を出発する時、「壁があったことを忘れずに、そしていつも壁の無いヒッポの人々に心からの敬意を表してあの『ベルリンの壁』を贈ります」と歴史の破片《かけら》をボクは彼女に手渡した。その時の彼女の笑顔を今も想い出す。

そして、それから半年後の夏、フラウ・マザコと子ども、学生、ＯＬ、お母さん、お父さんの12人のヒッポたちが、ベルリン－ドレスデンにやって来た。

「ラインマン・カーストン博士、あなたに会いたい。変化と変革のあなた方の生活を一緒にしたいのです」と。

ヒッポたちは唯ニコニコしてやって来た。その行動と目指しには、迎えたホストファミリーの誰もが感動した。

20世紀は、産業、経済、社会形態も、学問、研究もひたすら細分化の時代であった。学問研究や人間関係にも、どんどん「壁」を作っていた世紀ではなかったか。ヒッポたちは、その厚い壁をあっさり越えたり、崩したりできる、未知の新しい言語をすでに手に入れている。それは、ハイゼンベルクのいう『…同じように科学に於ける本当の新しい世界も、ある決定的な箇所において、今までの科学が土台としていたものを離れて、いわば虚空へ飛び込む覚悟がなければ発見できないものである』のではなかろうか。従来の言語観及び言語習得の土台から離れて、いまだ誰もが体験したことがなかった母語としての自然習得の領域に家族で飛び込み、ひたすら赤ちゃんをリーダーにして、西へ西へと突き進んだその過程で獲得した言語でなければこそ、到達できない新天地だったのではあるまいか。

ボクは、あらためて、言語交流研究所・ヒッポファミリークラブがやって来たこと、またこれからやろうとしていることを、全身で感じて、多言語の大航海の勇気を強く感じていたのだった。

今やベルリンに壁が無くなっても、人々の心の中には見えない壁がますます厚くなってゆる気がする。ベルリンにこそ、時間、空間を越えて、人間として交流できる新しい世界と新しいことばの多言語活動、ヒッポファミリークラブは不可欠だ。その活動をここから始めよう、とボク静かに決心したのだった。

新しい世紀にむかって、ヒッポファミリークラブの冒険は続く。心躍る期待と、眩しい予感だけを頼りにして。どんな言語に対しても平らに拓かれた人間、自然の存在の一部としての人間に向かっての、そして言語そのものにむかっての営みが始まる。

ボクと、そしてマザコと、これからドイツ、また世界の何処で出逢うすべてのフロインデンと共《ミット》に。

一九九二年春頃

多言語活動誕生10周年記念フォーラムに向けて、「ヒッポファミリークラブの冒険」記念誌発刊にあたり、広く原稿公募があり、投稿。未掲載幻の原稿より。

Stücke der Berliner Mauer an diejenigen ohne Mauern.

ふるさとは未来に

Quoi《クゥワ》 QUoi Quoi QUoi
Was《ヴァス》 Was Was Was
什么《シェマ》　什么　什么　什么

なあに

紅いろ　蒼いろ　黄いろは
ともだちかな

月と　星と　太陽は　ともだちかな
まっ赤に　夕日が　燃えたとき

初めて　赤ちゃんが　声を出したとき
ぽとりと　林檎が　落っこちたとき
もう
不思議な世界が　始まっている
創造《ぼくら》のふるさとは　未来にあるよ

뭐야《モヤ》　뭐야　뭐야　뭐야
Qué《ケ》 Qué Qué Qué
What《ワッ》 What What What
なあに
まる　三角　四角は　ともだちかな

鳥と　魚と　人間は　ともだちかな
ふんわり　雲が　浮かんだとき
初めて　蝶ちょが　羽根動かしたとき
ふっと　誰かを　好きになったとき
もう　不思議な世界が　始まっている
創造《ぼくら》のふるさとは　未来にあるよ

１９８６年６月７日
「SING ALONG! DANCE ALING! vol.7.8」
企画 言語交流研究所 ヒッポファミリークラブ
制作・発行　株式会社レックスインターナショナル

『量子力学の冒険』とことばの冒険

1990年9月1日、『量子力学の冒険』の初版モニター本が発行されたその日、私たちヒッポファミリークラブのメンバー5名（村田幹雄、粉川珠美、初芝理恵、山元秀樹と私）は、ナホトカの地で初のソビエト・ホームステイの交流に湧いていた。

ヒッポファミリークラブでは、家族そろって7カ国語（スペイン語・中国語・ドイツ語・韓国語・日本語・フランス語・英語）を同時に自然習得する活動を進めているが、最近ロシア語とイタリア語が加わって、いちはやくパイオニア隊がロシア語の冒険に旅立った。出発前の準備といえば〝ことばを歌う〟[*12]ことであった。

■ことばを歌え！

通常、外国語を学ぶ時は、まず、文字―発音―意味―文法―会話……というようなプロセス

*12／どんなことばでも、聞こえるままにメロディやリズムをとって歌うように口ずさむこと。

をたどり、細かい部分、部分をたし合わせて行くと〝ことば〟という全体になると考えられているが、果たしてそうであろうか。ヒッポファミリークラブでは、赤ちゃんが母国語を獲得していく方法——自然はどのようになっているか——を探求しながら、まずは、全体から部分へという道筋で、ことばに向かっている。9カ国語が聞こえてくる環境をつくり、いろいろなことばの歌やお話のテープにあわせて、ムニャムニャ口に出して言ってみたりしながら、週1回、家族そろって〝ファミリー〟と呼ばれる集いに参加する。そこでは9カ国語で歌ったり、踊ったり、ことばを投げあって遊んだり。ことばのメロディを真似てとにかく口に出してみたり。ひと言でも言えると、ファミリーのみんなの「すごーい！」の歓声があがる。

こと細かい発音や意味を理解するなどは後まわしにして、まずはそれぞれのことばの〝らしさ〟（調、拍）をくり返し聞き、くり返し口にすることによって、そのことばの大まかな特徴を音にしていくのだ。歌を歌うとき、歌詞を暗記してから、メロディを覚える人はあまりいない。同じように9カ国語を取り込んでいく場合でも、音の波を自分の口から起こしていき、連続して歌って行くのである。

ヒッポ・テープのことばを本物に近く、本物らしく歌えるようになると、無意識のうちに、適材適所、正確なところで思わず口から音が飛び出してしまう。そして、その音を聞いて、まわりの人が意味をつけてくれる。このように、ことばの「音声」そのものが、それが働くことによって意味になる、ということもわかってきた。

ナホトカのロシア語冒険隊は、ロシア語の音の波の中に身を置いて、ことばの振る舞いの不思議さを沢山感じながら、ロシア語の赤ちゃんになっていた。ひと言ロシア語（らしきもの）を発しては、〝ハラッショー！〟とほめられ、優しいホスト・ファミリーや楽しい友人たちと涙の別れをして、帰国の途についたのだった。

■『量子力学』を歌う

1990年秋から、初版モニター本『量子力学の冒険』をもとにして、毎週月曜日午後3時30分～9時30分のトラカレ〝重力タイム〟全10回と、ヒッポファミリークラブ会員を対象にしたダイジェスト版・日曜講座全5回が開始された。ナホトカの楽しさに釣られて、私はその仲間がやろうとしていた〝ドブ・シュレ（ドブロイ・シュレディンガーの略）〟グループに軽い気持ちで入ってしまったのだが、それから、苛酷な日々が始まった。

トラカレの方法は、まず、一人ではなくて、皆で共同作業すること。共通の〝場〟に参加することから始まる。〝ドブ・シュレ〟グループは、とりあえず、毎朝9時にトラカレに集合することになった。集まったメンバーで『量子力学の冒険』モニター版を開いて、個々、解ってもわからなくても、皆で音読、輪読する。私はこの時点で、本は日本語で書かれているのにもかかわらず、何処が、どのように解らないのかが解らず、出発時点で脱落しそうであった。家で本を開いて、じっと眺めたり、流し読みしたりしてみても、何も理解できない。毎朝出かける足はだんだん重くなってきた。

そのうち、自分が解るところ、見つけたところを皆の前で言ってみようというところになって、グループのメンバーの中からの先生ごっこが始まった。7期生で、今年入学したばかりのY君がいきなり「自由空間中のドブロイ波」についての数式を解説し始めたり、18才のHちゃんが原子の構造や電子の動きについて、かわいいイラストを書いて説明したりする。自分の見つけたことを、自分のことばにしてみるのである。いろいろな人が、代わるがわる話しているのをただ聞いていたり、本をじっと眺めているだけでも、数式や記号が、いつのまにか苦痛でなくなって、慣れてくるのは、不思議だった。

それでも私は、相変わらず、ずっと聞き手側だったが、ある日、Cちゃんが、「明日は、前で話してみたら?」と声がかかった。「うん」と答えて、翌朝、本にそって、原子の構造と電子の振る舞いについて話出したが、すぐ言葉がつまってしまい、沈没してしまった。本人は赤面の至りだったが、聞いてくれている仲間は、「またやってね」とニコニコしている。すると、「次は、もうちょっと話してみたい」という気持ちになって、本の同じところを何度も何度も読んでみたり、みんなに話すつもりになると、頭の中にことばが浮かんできたりした。ある朝また、「やってみてよ！」と言われて、やや躊躇していると、先輩格のRさんが、「じゃ、私が、そこのところやってみるわ、私が終わったら、今度は、同じところやってみて……」というのだ。量子力学の始まりのところ――光は、それまで、波と考えられていたけれど、プランクさんが空洞輻射の実験から「光のエネルギーは飛びとびの値をとる！」ということを発見して、E＝nhνという式をあらわしました。波と考えていたのに、飛びとびの値をとるということは……。そして、次にアインシュタインさんが、このことをおしすすめて、「光は波ではなく〝粒〟だ！」と言い、光電効果やコンプトン効果により、証明しましたネ。ところで、私たちの体とか、あらゆる物質は、何でできているでしょう――を、こんな調子で、ボーアさん、ハイゼン君を経て、ドブロイさん登場まで、Rさんはいとも軽やかに講義をしてくれたのだ。1回、ことばにされたものを聞いてみると、あのように話してみればいいんだ、自分のことばではまだ言えないけれど、人のことばを借りて、そっくりそのままでも言ってみればいい、と思い、彼女の言った通り――それでも、自分の印象に残ったところしか言えないのだが——口にしてみた。自分の口から「20世紀の始め、プランクさんという人がいました。このプランクさんはクードーフクシャの実験から（ここで空洞輻射の実験って、何だろう—という考えが頭の中をよぎっても、そこまで悩まず〝クードーフクシャ〟と声に出して通過する。中身はほとんど理解していないままでも、アインシュタインさん—ボーアさんを経て、ドブロイさんが登場し、「〝粒〟だと思われていた電子も、波のことばで説明できるのでは…。きっと、電子は〝波〟だ！！」と考え至るところまで、とにかくこぎつけた。

皆は、「だいぶ切れ込んできたね！」「本番やってよ！」と大拍手。ついにトラカレタイムの本番では、私がこの部分をやらせてもらうことになった。

本番前日、量子力学の本を、始めから開いて驚いた。あれ程夜な夜な眺めても、ちっとも目に入ってこなかった文字が、くっきり見えるのだ。な～んだ、プランクさんも、アインシュタインさんも、ハイゼンさんも、こんなにページをさいて詳しく書いてあった！と。あっ、そうか——「量子力学も歌えばいいんだ。解ろう、解ろうと、数式にはまったり、一カ所理解できないところでこだわるのではなく、まずは声に出して、言ってみる、どんどん話してみる。それもできない場合は、解った人のことばをテープがわりにして、その通り歌ってみればいい、意味はあとからついてくるんだ！」

あれほど遠かった、原子の構造や電子の動き、ボーアさんの量子条件も、ハイゼン君の名台詞「軌道を捨てる！」も、今や、近い友人の、親しいことばとなって、自分の内側に宿っていることに我ながら驚いてしまった。

ドブロイ・シュレディンガーの講義担当は、2回。先輩格の仲間の指導や、皆のチームワークで、連日徹夜の練習の結果、粒のことばを波のことばに翻訳していく、概念や数式の展開を皆が自分のことばで話せるようになってしまった。本番当日は、新入7期生やフレッシュメンバーが、ドブロイ波の方程式、

$$\nabla^2\Psi + 8\pi^2\mathfrak{M}(\nu - \mathfrak{V})\Psi = 0$$

をみごとに導き出すに至ったのである。

かくして、仲間と一緒に歌いながら、ミクロの不思議にせまる『量子力学の冒険』は、毎週毎週ノーベル賞級の発見一つずつぐらいの内容を征破しながら、こどもたちや、主婦、お父さん方も一緒に、笑い声や歓声の中で、『不確定原理』までたどりついてしまったのであった。

■ナミナミならぬ〝波〟の発見

〝ドブ・シュレ〟グループに参加し、量子力学の歴代物語のところを歌いながら、私の脳裏を過ぎる一つのことがあった。

それはナホトカでの出来事。

ナホトカ郊外の団地の一角での生活。ペレストロイカなどおかまいなしの静かな、質素な日常生活。しかし人々は底抜けに明るく、ロシア語の赤ちゃんの我々にむかって、豪快に話しかけてくる。私のホストマザーは、ナホトカでは珍しく、英語を話す人で、こちらが積極的にロシア語を求めているムードが欠落すると、どうしても英語になってしまいがちであった。また、これからの交流について、受け入れ団体の責任者と、話す機会が2度あったが、ここでも、英語や日本語の通訳がついた。出発前に、「ロシア人はモノを欲しいだけだから、うまい話にはくれぐれも注意しろ！」と数人に釘をさされていたので、特に、公式の話し合いの時は、間違いが無いよう、内容の意味を理解するよう、全身を耳にして聞き、返答した。

滞在の後半の一日、日本で知り合ったマリアさん家族にお招きを受け、出かけてみた。おんぼろの車に2時間ぐらい乗って釣りにでかける。釣ったばかりの魚をスープにしたり、シャスリック（バーベキュー）を食べたり。家にもどっては、シャンパンやワイン、コニャックを飲みながら、居間の隅で歌ったり、踊ったり。

マリアさん一家は、家族4人と息子さんの赤ちゃん誰もが、ロシア語しかしゃべらない。しかし、やわらかい空気で、優しいほほえみがあると、耳にさわるロシア語が、本当に気持ちがいいのだ。シャンパンに一口、口をつけて〝フクーズナ！〟と思わず言ってしまうと、マリアさんのご主人は〝オオ、ハラッショー!!〟と目を丸くした。〝オーチンフクーズナ、プラウダ!!〟〝オオ、ハラッショー!!〟ちょっとだけ知っていることばが適材適所でぃきなりこぼれてくると皆まわりの人は驚き、歓嘆した。この快い、ほとんどわからないロシア語の波の中にいたとき、「こんな中に、6カ月も、1年も、1年半も囲まれていたら、必ず話せるようになる。赤ちゃんの方法はこれだ」と思った。

ホームステイ先の我が家にもどると、待ちかねていたお母さんが、次々と早口に質問してきた。英語で。私は、しばし、ことばを彼方からたぐり寄せるように、英語を思い出して返事をしたが、途中で、〝マーアチカ、パルースキーパジャールスター〟(お母さん、ロシア語でお願いします)と、お母さんの英語をさえぎってしまった。ことばは、意味をつたえる道具ではない、情報をつたえる道具ではないと、このとき痛感したからだった。ことばが〝粒〟になって意味を運ぶ時、情報だけが交換される、粒のことばは道具になってしまう。通訳がついて話をしたときもそうだった。

しかし、マリアさんの家で聞こえていたのは〝波〟のことば。切れ間なく続いていて、知っている音に突然出会うと、瞬時、その音が〝粒〟となり、意味を運ぶ。

ことばは粒として非連続に、単独に存在することはなく、空間系に張り巡らされた波、そのものの中にある。個々の部分〝粒〟を限りなく連続させていくと〝波〟（全体）になると思われているが、そうではない。学校などの語学学習方法は、ブロックをセメントでくっつけて重ねたり、木の柱をカンナで、ゴシゴシけずったり、釘を金槌でガンガン打ち込んでいるような作業に思われた。

赤ちゃんは、あのやわらかい音の波の中に身を任せながら、どんな波でも取り込んでいって、波動の中に包含されて、粒の言葉が完成していくのだ。

■自然科学者の冒険

光は、それまで波と考えられていたけれど、アインシュタインが〝粒〟として説明すると、波でもあり、粒でもあるという二重性をも認めることができた。また、電子は、粒と考えられていたが、光の二重性の性質より、我らのドブロイさんは、それなら、電子を〝波〟のことばで記述できるのではないかしらと挑戦して、ノーベル賞をもらった。

ことばも今まで、〝粒〟と考えられていた。そして皆その粒のことばをトッカン工事で獲得しようとしていたが、それはうまく行かなかった。

しかし私は、ナホトカで思ったのだ。ことばは、〝波〟なのだ。そして、音が意味になる瞬間、意味が音として発せられる瞬間は、ハイゼンベルクの言うように、〝粒〟になる。私にとってのナホトカ・ロシア語冒険の旅は、とりもなおさず『量子力学の冒険』であった。

ヒッポファミリークラブの家族たちは、赤ちゃん、お父さん、お母さんも、皆、楽しい自然科学者である。9色のことばの風にあたりながら、ことばが――自然が――どのようになっているかを、自分の身体を通して見つけていく。そしてやがて、ことばの振る舞いを数式で記述できるときが必ずや来るだろう。『量子力学』は、まさに『ことば』の科学そのものに思えてならない。

1991年8月29日

「量子力学の冒険」トランスナショナル カレッジ オブ レックス編 ふろく『私の量子力学』
言語交流研究所 ヒッポファミリークラブ刊

量子力学

回帰する微熱
夜がきて　朝がきて
男　女　夫婦　家族　という結合
微動する時間
生は重く　死は更に深く
人は誰でも体内秤を有し
己をとりまく全てのものの

存在証明を
重量順に並べては
自己を石像にしている

存在は重いか
何ものに因って
意味付けられ　名付けられるか
かろうく
かろうく
ふううっ
と吹き上げ

重力を消す

ドウ　存在ノ　コノ軽サニ　耐ヘラレル
カレは
パリのアパルトマンの窓から
東空を眺めつつ
呻きを風に溶かした

嬉しいとか　悲しいとか
少しく揺れたとか
カラダひとつ　肉の磁場

血球が走る　襞が呻く　虹彩が光を吸う
そこに何億の情報　細胞の営み　時空が
犇めいていても
かろうく
かろうく
ふううっ
と吹き上げると
塵のごとく宙を舞って
カラダは　微粒子になる
光波や電波に同調し　共鳴しつつ
うち震える

揺れが　満ちて奏り出し
歌になる瞬間を待ちながら
唯　うち震えるだけ
緩い輻射の熱を受け
微粒子は　変容し　発火し　炸裂する
もはや
色　形　重量はない
コトバ　と化してのみ　在ろうとするのか
無の有になること
有の無になること
コトバ　になることこそ

地上の憧れ

かろうく
かろうく
ふううう

一九九二年頃　詩集に投稿

第4章

虹のかけら

カナダ
アイスホッケーチームとの八戸・八日間

1. 異文化の習慣の違い入浴ではためらいも

裸の付き合い

今から二年ほど前、カナダ・アルダーグローブ市で開かれた国際アイスホッケー大会に旅立つ甥《おい》たちを成田空港で見送った。八戸ホワイトベアチームの一行は、赤いユニホームに頬《ほお》を染め、素朴さと幼さが印象的でさえあった。日本の北の街から一挙に太平洋を飛び越え、アイスホッケーの試合に出掛ける少年たちを眺めながら、ホッケーの本場で胸を貸してもらって戦えること、また、言葉や生活の違いを越えていろいろなことを経験することなど、何とか逞《たくま》しくやってきてほしい—と私は祈るような気持ちであった。

大人たちのそんな不安を吹き飛ばし、彼らが優勝杯を手にして帰国した時は、誰もが驚き感動した。少年たちは、友達や思い出をたくさん作り再会を約束してきた。中でも、ホワイトベアチームの監督・金入忠清氏は、「二年後に日本の八戸で国際試合をしましょう！」と固い約束を交わしていたとのことだった。

そして今、その約束の時が来た。私は東京で国際交流や外国語関係の仕事をしていることから、今大会のお手伝いをーということで義兄金入清孝氏より連絡を受けた。

四月二十八日から五月五日まで、カナダ・アルダーグローブチーム一行と八戸で過ごすことになった八日間。私ができなかったことといえば氷上でのアイスホッケーの試合ぐらいで、残りの全プログラムー十和田湖巡りと蔦温泉入浴、日加チビっ子会議、ホワイトベアチーム父母主催のごちそう持ち寄り歓迎パーティー、学校訪問、密陽庵《みつひあん》での昼食会やお茶会、秋山市長表敬および市議会訪問、県アイスホッケー連盟と青年会議所主催の大歓迎会など、また、二年前とめてもらったコンウェイさんの家庭から、お父さんお母さんと、クリスティーヌさん、カイルくんも来日し、お子さん方は甥の家に泊まったことから、私も一緒に泊まり込んでホームステイも体験し、関係者の家庭で催された数々のホームパーティーやカラオケパーティーなどに参加させていただいた。

カナダの人々と一緒に接した八戸市は、私にとっても新鮮な喜びや驚きの連続であり、まさに「もうひとつの世界」への旅になってしまった。

初日朝八時、長根リンク前に集合。この時初めて私はカナダの人々やその日の世話役の木村さん、大久保さん（ホワイトベアチーム父兄）やバスガイドさんと対面し、マイクロバスに乗り込んで一路十和田湖へと向かった。一行は、長旅や仙台での親善試合の疲れもみせずに、窓から見えるコイノボリをみては、「色の違いには何か意味があるのか」「フキナガシはなんだ」「三匹と五匹のがあるのはどうしてか」「日本の材木はどうして短いのか」「トラックは何トン積みが多いか」などなど、見るもの聞くものすべて不思議がった。

十和田湖に着いてから、まず十和田神社を参拝し、乙女の像の前で記念写真を撮った。湖面は春の日に揺れて静かに輝き、思わず私は―「レイクトワダは日本で一番美しい！」と説明してしまった。

蔦温泉で昼食後、いよいよ温泉に入ろうという段になった。パブリックバスの場合、水着を付けて入るのが彼らの習慣である。日本では裸で入るんだよと言うと入浴をやめた少年たちもいた。私はご婦人方を誘って女湯に入って行くと、カナダ少女がどうしても水着を付けて入りたいとモジモジしていたので、いいよと促した。湯船は歳月を感じさせる木肌が美しく、湯煙が高い天井までゆるやかに立ち上っていた。透明なお湯に長々と漬かりながら、皆顔を真っ赤にして微笑《ほほえ》み合っていた。一日目から、まさに裸の付き合いが始まった。

1988年7月8日

2. 英会話に爆笑や歓声
柔道では一本勝ちに喝采

一日体験入学

アルダーグローブ・アイスホッケーチームの少年選手たちは皆、ホワイトベアチームのメンバー家庭にホームステイしていたが、三日目の土曜日は、ホストフレンドと一緒にそれぞれの小学校や中学校へ一緒に登校し、一日体験入学のプログラムであった。

私は甥《おい》の金入一哲、靖佳とダスティン・アンルー君（一三）、カィル・コンウェイ君（一三）

の少年たち、加えてコンウェイ夫妻と一緒に、八戸市立第二中学校（最上哲三校長）に行くことになった。図らずも第二中学校は私の母校でもあり、二十年ぶりぐらいの訪問には胸が躍った。

少年たちは一緒に登校し、われわれが後から駆け付けると、体育館で歓迎の朝礼がちょうど始まるところであった。男子は黒の学生服、女子は紺の制服に身をまとい、見事に整列して並んでいる姿に、コンウェイ夫妻はまず目をまん丸くして驚いた。彼らの生活の中で、このような統制は考えられないようだったが、ほほえましいといった視線を投げかけていた。壇上のカナダ少年たちは、全校生徒七百人を前にして、だいぶ緊張しているように思われた。

彼らは英語の正部家先生の指導のもと、三年三組の生徒になることになった。教室に入ると席が準備されており、一時間目の英語の授業が始まった。あらかじめ彼らを迎える工夫がされていて、カナダ少年たちを囲んでグループをつくり、英語で自由な質問をしてみようというものだった。初め、三年三組の生徒たちはいささか恥ずかしそうだったが、誰となく紙に書いて用意していた質問をそれぞれに投げ掛け始めた。

「ドウユウライクマイケルジャクソン？（あなたはマイケルジャクソンが好きですか）」「ドウユウハブアガールフレンド？（あなたはガールフレンドがいますか）」等々。カイル君がすかさず、その質問をした男子生徒に「ドウユウハブアガールフレンド?」と聞き返すと、周りの仲間が「イルイル」「イネスケ」「ウソイエ!」と、爆笑の場面も発生した。最後の連想ゲームのようなクイズをやるころにはクラス中が歓声や拍手で盛り上がり、あっという間にお互いが溶け合ってしまった。

次の時間は国語で、習字と朗読であった。伊藤先生の丁寧な指導や、席の近くの仲間たちも協力して、カナダ少年たちは初めて手にした筆を上手に使いこなし、『風』と『山』を何度か練習し、最後に一枚清書して自分の名前を書き入れた。

三時間目は中根先生の体育で、何と柔道に挑戦することになった。カナダ少年の白い肌にキナリの柔道着がなかなか似合った。気合のこもった声が武道館に響く中、生徒たちは攻めやら受け身やらいろいろな型に挑み、一時間のうちに試合までやってみようというスペシャルメニューである。カナダ少年たちは、さすがアイスホッケーで鍛えている体なので、すべて難無くこなしてしまう。いよいよ試合の段になった。まず日本人生徒が模範試合をやってみせた後、中根先生がカナダ少年たち一人ずつの相手をした。先生の受け身の上手さに引き出されて、カナダ少年がワザをものにして一本勝ち!、生徒たちの大喝采《かっさい》を浴びた。

休み時間を利用して、ホストフレンドのいる三年五組の音楽や一年四組の美術のクラスにも突然お邪魔した。ふいをつかれた佐藤先生、一戸先生や各クラスの生徒たちはスペシャルゲストを迎えて一挙に盛り上がり、その乗りに引き出されて、カイル君は流暢《りゅうちょう》な日本語で『メダカの学校』の歌を披露してしまった。英語できちんと話すことより、ともかく、笑顔や体ごと向きあうことが、言葉そのものであると思った。

１９８８年７月９日

３．将来はプロの選手に自分との戦い通して成長

氷上の夢

いくつかの親善試合の後、新井田インドアリンクで、八戸ピーウィー国際アイスホッケー

大会が始まった。〝ピーウィー〟とは英語で雛《ひな》鳥を意味するとのことだ。われわれの幼少時、スケートといえば長根リンクと決まっていたので、八戸市にかくも立派な室内スケート場ができていたことに、まず目をみはった。

華やかな開会式に引き続いて第一戦開始。カナダチームと八戸南チームの大戦だった。アイスホッケーの魅力は、何といってもその〝スピード感〟にある。パックが氷に落とされた瞬間から一斉にすべてが動き出す。鏡のような氷上を、パックが、スティックが、選手たちが、レフェリーが疾走する。そのスピード感たるや、野球やアメリカンフットボール、サッカーなど及びもつかない。

一秒の間にパックは、リンクの端から端までも飛ぶ。パックはまさにアイスコスモスの核であり、選手たちはその核を目がけて滑走し、炸裂《さくれつ》する。その速度、飛翔《ひしょう》の距離を常に見越し、いわば一秒先の予想もつかない未来を咄嗟《とっさ》に予想し、判断して動く。しかも個々の動きと全体のチームワークが連係されていなければならない。舞台である氷までが動いている、と錯覚してしまう程の目くるめく快感である。アイスホッケーの防具を纏《まと》ったピーウィー選手たちの勇姿は、全く想像を越えるものだった。

観客席にはホッケーファンや父母が陣取っていて、熱い歓声が上がる。ホームステイを引き受けているお母さん方は、決まってカナダ少年たちの応援に力が入ってしまう。日ごとに情が深まって、わが子以上にかわいいといった様子である。

スポーツでも、仕事でもすべて同じであろうが、この華やかな舞台へ至る道は長く、険しい。甥たちがアイスホッケーを始めたのは五歳ぐらいのことか。小学校に入ると、登校前、まだ夜も明けない早朝に起きて練習に出かけた。夏休み、冬休み、春休みは、北海道や東京での強化合宿や遠征試合など、まさに自分との戦いの日々ではなかったか。試合に勝つというのは、スポーツにおける最終目標ではあるが、彼らの人生は、アイスホッケーを通じて、たくさんのことや人々に出会い、それらのぶつかり合いの中から多くのことを学び、自分の中に取り込んでいき、自分が新しくなっていく日々ではなかったか。

そして、ある日、スティックが翼になって太平洋を飛び、カナダ・アルダーグローブ市で熱戦を交え、その仲間がこうして来八した。十代が始まったばかりのピーウィーたちが、世界の大きさを、もう体で感じている。スピード感を楽しみながら、観客席でこんなことを考えていたら、チビっ子たちが何十倍も大きく見えた。

カナダでは、一つの町に何百というアイスホッケークラブがあり、毎日どこかで試合が行われ、それが練習そのものにもなっているようだ。今回来日した十六人は、数グループからの選抜メンバーで、チームを組んでからまだ日が浅いとのことであった。子供たちと一緒にやって来たお父さん、お母さん方は、練習のこと、数々の試合のことなど、アイスホッケーについて語る時のまなざしは熱く、遙かである。カナダチームの少年たちはだれもが、「将来はプロのアイスホッケープレーヤーになりたい！」と断言する。雄大な自然の中で、一生懸命働き、家族で行動し、アイスホッケーを楽しみながらのびのび勉強もしている様子から、彼らにとってはアイスホッケーがそのまま生活であり、人生であると見受けられた。

大会は、札幌月寒ストロンガー、カナダアルダーグローブ、八戸ホワイトベアジュニアと続いたが、氷上の熱い戦いであった。

１９８８年７月10日

4．自然に広がる心の交流
〝行動する言葉〟が架け橋

ホームステイ

リンクで繰り広げられた熱戦が大会の華だとすれば、カナダ少年たちがおのおの民泊しながら交流したホームステイは、もう一つの花といえる。

実際にカナダでホームステイを体験した八戸の子供たちは、「どうにかなるスケー」と余裕たっぷりだったが、むしろ大人たちの方が不安顔であった。しかし、一緒に生活し始めるにつれコミュニケーションが深まっていった。

朝、食卓にはふだんと同じようにパンや目玉焼きが並ぶ。姉が、「カイル君とダスティン君、起こして来てね」と言うと、崇恵（八歳）と常郎（一〇歳）は私のところに来て、「起きては何て言うの?」「早くしてって何て言うか」と口々に聞く。何度か言っているうち、「ハリアップ、アップアップアップー」などとふざけながら彼らのドアを叩《たた》いている。間もなくカイル君が「オハヨゴザイマス」と日本語を言いながらテーブルに着く。彼は、二年前、ホワイトベアチームに出会ったことが契機となって、日本語に関心を抱き、近くに住んでいた日本人について日本語を習い始めたそうだ。「ドモアリガトゴザイマス」「ワカリマセン」などと連発しては、周囲の人々との距離を一挙に縮めていた。

子供たちの共通言語は、何といってもアイスホッケー。家に帰ってからもホッケーのファミコンやゲームに熱中して歓声を上げている。崇恵は、「カイル君ケロケロカエルちゃん、ダスティン君はそうじのダスキン!」と言うと、皆がそれがいいということになり、その時以来、彼らの名前はカエルとダスキンになってしまった。

生活にも慣れてくると、シャワーだったのが日本式の湯舟に入ってみると言い出した。すると靖佳や常郎も一緒に入ることになって、カエル君が入った後、「バスウィズユー?」(一緒に入ってもいい?)と声をかけたりしている。彼らにとって一緒に遊ぶこと行動することがもう言葉そのものである。

今、私は東京で、七カ国語(スペイン語、韓国語、ドイツ語、中国語、フランス語、英語、日本語）を同時に自然習得することを実践している研究所のメンバーであるが、外国語は確かにいくつかの言葉をまず耳から吸収していくのが人間の自然に適《かな》っていると思う。ヨーロッパやアフリカ、アジアの人々など、四、五倍も頭が良いかといえばそんなことは決してあり得ない。だれでも自然の言語環境さえあれば、どんな言葉でも話せるのである。

私は長い間、例えば英語など「間違ってはいけない」といつも思い込んでいて、聞くときも話す時も頭の中で構文を組み立てたり単語を並べたりしていた。しかし、いろいろな言葉に触れているうち、人間の言葉である以上、〝正しい〟と言うことはあり得ないし、内容もイントネーションも〝英語らしく〟波に乗せられればいいと分かって以来、どんどん英語が話せるようになった。赤ちゃんが母国語を覚えていくプロセスである。ホームステイ中の子供たち相互のコミュニケーションも全く自然に広がっていった。

秋山市長さんの心のこもった日本語、迫力ある八戸弁は、通訳する以前にカナダの人々の心に十分届くと私は感じていた。また、大歓迎会の夜、県アイスホッケー連盟の田名部会長の英語によるスピーチは満場の拍手を浴びた。だれでも、言葉の表面を聞いているのではなく、その人の言いたいことの心根に触れることを期待しているのである。

言葉は障害になる壁ではなく、お互いをつなぐ橋である。間違いを恐れずに自分を投げかけていったら、必ず橋が架かる。ホームステイの生活を通して、言葉の橋はだんだん大きく楽しくなっていった。

1988年7月11日

5．新たに拓く八戸の未来
故郷と世界の架け橋願う

また来年…

別れの朝が来た。八戸駅集合午前五時半。カナダの仲間を囲んでのお別れパーティーの興奮の中、その夜の関係家庭は、目覚まし時計をみな五時前に合わせたことだったろう。

私も眠い目をこすりながら起床した。もう既に日は高く、空は夏の青さを湛《たた》えていた。柔らかな白雲が眩《まぶ》しいばかりである。

カエルとダスキンの二人も、家中のだれもが黙々と荷物の整理や身支度をした。玄関前で最後の写真を撮る。カナダ少年のホームステイママだった姉が、昨夜ひとりで大きな紙に書いた「See You again!」のグッバイサインを携えて、皆言葉少なく車に乗り込んだ。

車が馬渕川に架かった大橋を渡る時、左方に、八戸工業地帯の工場や長い煙突が朝の光に照らされて浮き上がって見えた。右手には、名久井岳が青空の中に静かに聳《そび》えていた。その風景に、目くるめく八日間の出来事が一瞬溶け合った。わが故郷・八戸は実に美しい、そして優しい、と心に染み渡った。

八戸駅に到着すると、もう人だかりの山であった。駅前に整列して、最後の別れの集いが始まった。金入監督、青年会議所の河原木理事長、カナダチームリーダー・ジョゼフグリフ氏、そして、ホワイトベアジュニアチーム・金入靖佳キャプテン、カナダチームキャプテン・ダスキンことダスティン・アンルー君と、別れのスピーチが続いた。だれの言葉をとっても、八日間の出会いによって生まれた事実の大きさを感じさせられ、通訳をしながら、私は何度も涙が溢《あふ》れそうになってたまらなかった。お母さん方も、ある人は目を潤ませ、ある人は真っ赤にして、ホームステイの〝わが子〟との思い出を辿《たど》っていた。試合から帰って来るとまず池の鯉《コイ》を捕まえたり、いたずらばかりしていたアダム・ルーゼンホルト君は、遊び相手だった笹垣大蔵君と、ひしと抱き合ったまま離れなかった。

やがて一行はそのままホームに移動し、午前六時二十九分発、特急はつかり2号に乗り込んだ。「また来年…」「今度は必ずカナダに来てね!」。列車は滑り出したかと思うと猛スピードをあげて消えて行ってしまった。

八戸ピーウィー国際アイスホッケー大会を通して、カナダ・アルダーグローブの人々と一緒に行動しながら、私は、彼らやカナダのことを知ると同時に、八戸の人々、八戸をも再発見したのであった。

私は仕事柄、アメリカ、ヨーロッパ、韓国などでホームステイを体験しながら、いつも、言葉や人間や国際性ということについて考えさせられる。そして、『国際人とは、世界に通じる広さと濃度を有すること』と常々感じていたが、まさに八戸は、人々が心を合わせて新しい風を巻き起こし始めていると思われた。ひとつの文化や情熱の独自性がとことん結集した時、それは同時に、どんな世界に通じる言葉に成っていくことか、と。

昨年冬、フランスのアルザス地方でのホームステイ交流の準備に出かけた時、村人が私に送ってくれたひとつの詩を紹介しながら今回の旅を終わりにしたい。

一人で見る夢は孤独のままだけれど
皆が一緒に夢をみるとき
それは　現実の始まりとなる

この美しい詩は、カナダチームを迎えて大きな現実を創《つく》り出したこの八日間にもそのまま当てはまるのではないだろうか。

金入監督のひとりの夢は、みんなの現実として見事に花開き、それを体験した子供たちや父母、市民全員が、更なる新しい未来、新しい八戸を拓《ひら》いていく、と確信した。ピーウィーたちの飛翔《ひしょう》を楽しみにしながら、私も微力ながら故郷と世界のささやかな架け橋になりたいと願った。

１９８８年7月12日
5回連載 デーリー東北新聞

ホワイトベアチーム主催の歓迎会で
（左から３人目が筆者）

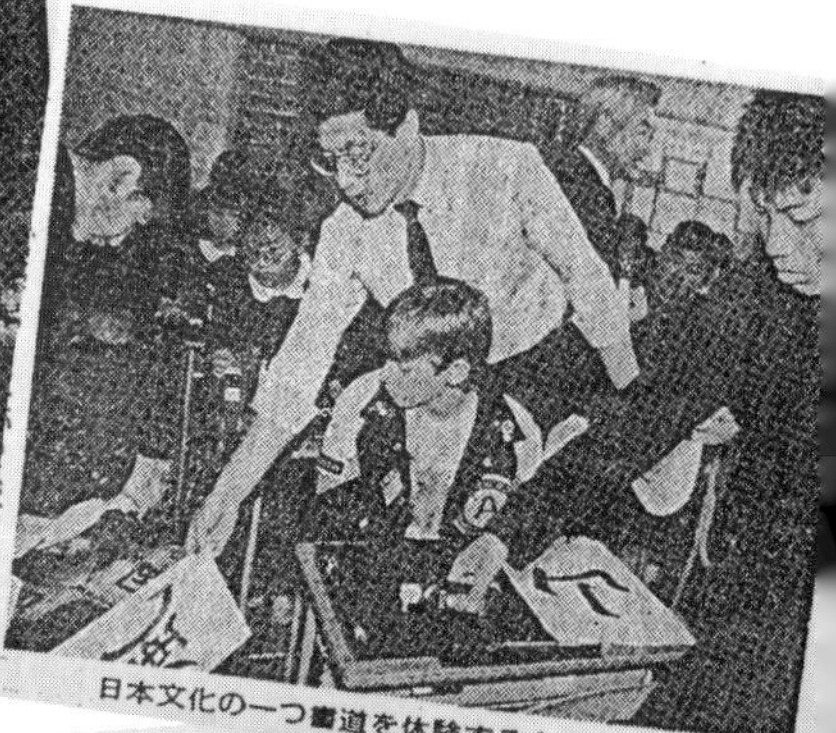

日本文化の一つ書道を体験するカナダの子供

八戸ピーウィー国際アイスホッケー大会での八戸ホワイトベアジュニア対アルダーグローブ戦

カナダっ子たちはモチつきに大喜び

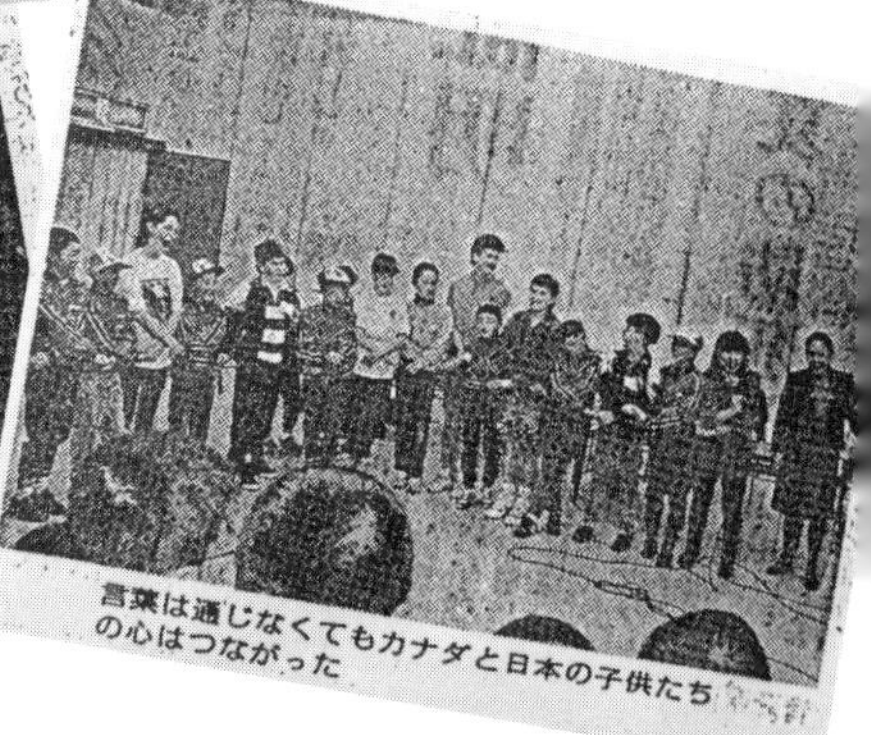

言葉は通じなくてもカナダと日本の子供たちの心はつながった

フランス
マズボー

フランス語、歌えるよ!

ヒッポトランスナショナルホームステイの旅から

Avec les nouvelles familles

窓から見えるアルザスの光が眩しい。フォンテンヌブローに向かった11名は新しい家族に逢えただろうか、単独ルマンにに行った人はどうしているだろうか…と、春の田園風景に想いを溶かせながら車内に目を移した。アルザスグループは24名、2歳の赤ちゃんから67歳のおばあさん、子連れのお母さん、主婦、中学生、大学生、OL、韓国夫人といった面々。やがて列車は速度を落としベルフォール駅に止まると、ホームにアルザスの家族たちが我々を待ちかまえていた。これから6日間のホームステイが始まる。出発前、手紙や写真で交流をしていたため互いにそれらしい人物を見つけると歓声があがった。もう感激の涙にくれる婦人、"Bonjour…" とだけ言って握手を交わしたままうなずき合う組、フランスと日本の国旗の絵を胸に現れたMamanなど。言葉はもちろんフランス語、時々ドイツ語やアルザス語も聞こえてくる。ところで我々の言葉はどうか、出発前、誰の口からもフランス語やドイツ語、ましてアルザス語など聞いたこともない。さてどんなことになるのだろうか。

私の家族はマズボー村の高校で教員をしているシュタイヴ夫妻。奥さんのモニークが「Tu es fatiguée? Tu as faim? Il n'y a rien de nouveau?…」と早口で話しかけてきた。私は、「Non, rien de changé, je suis toujours la même…」などと口走って、三人で笑い合った。思えば1年半前初めて彼等に出会った時、私はほとんど話せなかった。それから10ヵ月後の再会の時、息子のアランに「上達したネ!」と言われて自分の方が驚いた。今回は自然にフランス語の波に乗っているというところか。この間私は仕事場や家で多言語のテープを日々のBGMとして静かに流していただけ。仲間も同様で、7ヵ国語(仏・中・西・独・韓・英・日)を家族で自然習得していこうという『ヒッポファミリークラブ』のメンバーである。

Du "Tout" vers les "Parties"

フランス語ひとつものにできないのに、数ヵ国語同時に身につけるという誰もが驚くが、特別なことをやっている訳ではない。地球上の多言語国の言葉の振る舞いや、赤ちゃんが母国語を獲得していく道筋に学びながら、我々は日本の中に多言語の環境を作り出している。多言語テープになじみながら、週1回最寄りの〝ファミリー〟に出かける。そこはまさに多言語の公園のよう。7ヵ国語で歌ったり踊ったり話してみたり。新しい言葉に出会った時は、誰でも赤ちゃんのようにまず耳から、各々の特徴(～らしさ)を全体的に捉えていき、内部から言葉の秩序を見つけていくのだ。自然習得の道筋では全体から徐々に部分へと向かう。次第に分かったり話せたりする量が多くなっていく。単語や文法、発音等、個別部分として覚えたものは個別にしか機能しないが、自然の言葉をまるごと取り込んでいると、その言葉に出会った時、知っている歌を歌うように言葉が溢れ出す。長い間私は、赤ちゃん言葉の段階でも間違ってはいけないという教育の中で、コンプレックスの塊であったが、この頃やっとフランス語も、他の言語も、〝人間の言葉〟として優しく響き始めたのだった。そして、言葉は人間の関係そのものだから、話したいという人と人の出現と存在によって、濃く広く深くなっていくと実感している。豊かな、自然な言語環境さえあれば人間は誰でも、何語でも話せるのだと。

La langue, c'est de la musique

ホームステイ4日目、マズボー村の公民館で交流の集いが開かれた。手作りのキッシュや菓子、アルザスワインを両手に皆集まって来た。口々に家族の自慢話に花が咲く。アルザスの家族たちも大騒ぎだ。中に「うちの日本の娘はアルザス語が上手で近所中の人気者だが、どうしてこんなにアルザス語を話せるのか聞いてみてくれ」というPapaがいた。答えは「みんなが話している言葉をまねしているだけ…」と。彼女はフランス語やアルザス語の区別さえない程赤ちゃんになりきっている。

宴もたけなわ、自分の家族の紹介になった。皆初めは難色を示していたがいざ紹介が始まると、それぞれの口からなめらかなフランス語が飛び出したのだ。日本で色々な言葉にただ親しんでいる時には、自分がどれくらい分かっているのか話せるのか計れないが、フランス語の音楽の波の中に身を置くと、いままで自分の中にランダムに散在していたフランス語の音がレゾナンス（共鳴）を起こして流れ出した。この夜「私たち、フランス語話している！」と誰もが驚いた。

C'est incroyable, mais si normal…

別れの朝がやってきた。集合場所に市長さんや民族衣装の子供たち他、顔なじみの家族たちが集まって来た。赤の他人だった同士が、一つ屋根の下でバゲットとフロマージュとワインを分かち合いながら笑い語り合い——しかし語ると言ってもまだまだ赤ちゃん言葉であろうが、家族たちも赤ちゃんを囲む母親のように優しく語りかけ、我々の言葉を引き出してくれた。日本語をまねし始めたアルザス人もいる。エッフェル塔や凱旋門ではないフランス。日本の地図では見つからない無名の小村での静かな日々。家族たちがいて、ことばが生まれ始めたのだった。

出発の時刻を過ぎても誰もバスに乗ろうとはしない。このまま家族たちといたいと誰もが感じていた。予想もしなかった辛い別れ。私もシュタイヴ夫妻と堅く堅く抱き合ったまま「Ce n'est qu'un au revoir…」と言うと、「Mais oui, MA TA NE…」と静かに返ってきた。涙がアルザスの風になった。

「ふらんす」白水社
1989年7月号

Un rêve que je vois seul reste un rêve, mais
les rêves que nous voyons tous sont le début de la réalité.

アメリカ
ボストン

ボストンで見た夢
八戸・多言語コミュニケーションシティ

飛び交ういろんな言葉
教授の開かれた心に感銘

このゴールデンウイークに、アメリカ東海岸ボストンを訪問した。日本とメキシコのヒッポファミリークラブのメンバー18人（8歳からシニア年代）が、ボストン近郊の家庭でホームステイを楽しんだ。

17世紀。イギリスから清教徒たちがこの地にたどり着き、アメリカ建国の歴史そのものの街は、街全体が歴史の博物館のようであり、自由を志したアメリカの自主独立の雰囲気に満ち、そして今も世界中から学生たちが集まる学問の都ボストンは、5月の光まばゆく輝いていた。

まず驚いたのは、ホストファミリーのバックグラウンドが多民族・多言語であることだ。ロシア系、ウクライナ系、ドイツ系、イタリア系、オーストリア出身など。普段はもちろん、みんな英語で話しているが、私たちヒッポメンバーは、ホストファミリーの言葉でも話したいと関心を寄せると、家族の中でいろんな言葉が飛び出した。

私たちのホストファミリーは、ボストン郊外アーリントンの住宅街に住む7歳と3歳の子どものいる若い夫婦だったが、翌朝には子どもたちが「オハヨウ！」と私たちに声を掛けてきた。ホストご家族はユダヤ系のバックグラウンドがあり、私たちはヘブライ語の音も楽しみ「ララトーフ（おやすみ）」「トダ（ありがとう）」が家族の合言葉になっていった。

今回の交流のハイライトはマサチューセッツ工科大学（ＭＩＴ）言語学教授スザンヌ・フリン教授にお目にかかることで、ＭＩＴ構内での交流の集い、155番教室での言語学講義をフリン教授によって実現していただいた。

フリン教授の父方の曾祖父母はドイツからの移民で、彼らが生活を始めた頃はアメリカでもドイツ語やヨーロッパの言語が話されていたという。やがて「アメリカ人として英語を話す」政策から、アメリカが単一言語国家になっていくことを多大な損失と考え、フリン教授は言語研究の道を選び、コーネル大学で学位を取得。現在、ＭＩＴにて、ノームチョムスキーの言語理論研究も含め、言語学・多言語獲得研究の教授として活躍中である。

人間が生涯に渡ってどのぐらいの言語を話せるようになるかという多言語獲得研究の学術的な業績に私は目を見張った。言語研究の世界第一人者であるフリン教授は、ＭＩＴの学生たちや私たちの話にしっかり耳を傾けてくださり、どんな人にも言葉にも心を開くフリン教授の柔らかいスタンスと笑顔に心から感動したボストン交流でもあった。

２０１０年６月６日「ボストンで見た夢」上

どんな言葉も美しい 壁取り払い橋を架けよう

１９８１（昭和56）年に榊原陽氏（言語交流研究所代表理事）の提唱により、日本初で始まった多言語・自然習得の理論と実践活動。

その活動に、2年ほど前よりマサチューセッツ工科大学（MIT）のスザンヌ・フリン教授が注目して、「多言語を話すことは人間にとって自然である」「人間の言語獲得能力は無限大」「多言語人間はアンチエイジングでポジティブ」など学術的な裏付けから、私たちが30年間創り続けてきた日本での多言語活動を絶賛してくださり、今にわかに多言語活動に注目が集まっている。

私は中学から延々と英語を学び、大学ではフランス語に触れるも、『外国語を話す』実感には程遠く、『外国語には羽根がある。自分のものにならず羽根が生えて逃げていく』とコンプレックスの固まりだった。しかし今や、榊原氏の「仲間や家族の自然な言葉の環境があれば、人間なら誰でも何歳からでもどんな言葉でも話せるようになる」多言語の環境づくりに参画しながら、目と耳と口と、そして心を拓くと、どんな言葉でも話せるようになると実感している。

私の父方は盛岡出身で南部弁。母は福島出身の福島弁。農機具機械店を営んでいた実家は五戸、三戸、久慈、洋野など八戸周辺の町はもちろん、青森、弘前など津軽方面とも交流があり、南部弁、福島弁、津軽弁が流れていた。営業マンが仙台、埼玉、東京から訪れ、ホテルのない時代、わが家に泊まっていただいたりした私の幼少時代は、何と豊かな人と言葉に恵まれた環境だったと、ボストンから大西洋を望み、遥かな故郷八戸に想いを馳せた。

もう外国語コンプレックスは捨てよう。英語はもちろん大切だが、出会うその人のお国の言葉にも耳を傾け、その音をまねて、ひと言からでも話してみよう。

青森県の隣国は中国、韓国、ロシア、そしてアメリカ。県内にはアジアからの方々やメキシコ、ブラジルなど中南米の方も住んでいらっしゃる。どんな言葉も人間の想いを伝える美しい言葉。南部弁も外国語も言葉の壁を消して、一人一人のひと言からコミュニケーションの橋を架けよう。

ボストンで、八戸が日本初の「多言語コミュニケーションシティ」になる夢を描いた。

2010年6月13日「ボストンで見た夢」下

デーリー東北新聞

ソビエト
ナホトカ
ロシア
サンクトペテルブルグ

私たちのロシア
ナホトカ〜サンクトペテルブルグ、そして未来へ

いつの時代も、私たちを魅了してやまないロシア！　家族や仲間でいろいろなことばが聞こえる環境をつくりながら、多言語で交流しようというヒッポファミリークラブのメンバーたちがロシアやロシア語に憧れ始めたのは1989年頃のことだった。

◆1990年9月　ソビエト連邦・ナホトカへ初飛行

ロシアに渡航することもロシアの人々に会うことも難しい時代、晴海埠頭にソビエト船が停泊して交流するらしいことを聞きつけて「ロシア船」交流がブームになり、早速私も晴海埠頭を目指した。タラップを上って船内に潜入するとそこはロシア。ボールルームにバリシ

ョーイのロシアおじさま・おばさまが待機していて緊張が走る‥おまけにヒッポでもロシア語はまだ始まっておらずロシア語ゼロの時代なので、会話といっても身振り手振りのみ‥しかし楽団演奏が始まると一転して、ロシア人も日本人も激しく歌ったり踊ったり、ウオッカで乾杯！ オーチンハラッショ～

その船でご挨拶をされたナホトカの市長さん（と思われる方）の名前を教えていただき、その年の暮れに「船で出逢った皆さまに会いたいです！ホームステイのチャンスをご指導ください」と封筒に「セルゲイさま、ナホトカ市長、ナホトカ、ＵＳＳＲ」と書いて祈りながら投函した。手紙は奇跡的に届いたようで返事が来た。私たちが市長さんと呼んでいた方は実は市長さんではなかったのだが、想いを繋いでいただいて、１９９０年9月に私とトラカレ（トランスナショナル カレッジ オブ レックス：ヒッポの大学）生４名が、ヒッポファミリークラブからパイオニア交流団として極東の地に飛び立った。

◆マーマチカにどこでもくっついて‥

新潟空港から二時間のヨーロッパのような‥だが、停電、断水、マーケットにあるのは棚だけ、夕方には食料の配給に列ができる‥当時のロシアの生活は全てが灰色にくすんで見えた。ナホトカのホスト家族はマーマチカ、パーパチカ、マリンキシストラ（妹）とボリショーイサバーカ（犬）。全くわからないことばの海に飛び込んでみたい…が初ロシアに行きたい理由の一つでもあったが、家族のロシア語の波に漂っているのが何とも幸せ…野生の勘を働かせ、犬のようにマーマチカにくっついて行動しながら「ダバーイ」「スパッツ～」「パッシュリーン～」など、聞こえる…わかる…ホストファミリーや友だちのことばの嵐のなかで、自分で見つけて、真似してロシア語風に言ってみて、通じた時は飛び上がるほど嬉しい…3～4日のホームステイは熱を帯びて終わった。ソビエトでは、民間の『国際交流』ということばさえ存在していなかったかもしれないし、私はロシア語を全く話せてはいなかっただろうに、会う人毎にホームステイをお願いしながら、ロシアの人々の底抜けの明るさ、優雅さ、大地のような強さを全身にいただいて帰国の途についたのだった。

◆ロシアでヒッポホームステイ交流始まる

ロシア船交流やナホトカ行きのご縁により、ＪＩＣの伏田昌義さんに巡り会った。「ロシア人と日本人が本当の家族になるホームステイ交流を始めましょう！」と意気投合して、1991年より相互の家族交流（赤ちゃんからシニア年代）が、94年には青少年交流（小学

5年生から大学生年代）が始まった。船で行く交流が台風に見舞われたり、来日したロシア人たちが一斉に中古車買いに走ったり、ホストファミリーは大混乱。東日本大震災のあと、来日交流は延期されたが、被災地のヒッポファミリーを励ましたいと、大量のチェブラーシカ・チョコレート・キャンディが、極東ロシアを代表してクリコフ・アナトーリさんから送られてきた。ロシアの皆さんやチェブラーシカにどんなに元気をいただいたか、今でも忘れない。

今年春には、ウラジオストク、ウスリースク、ハバロフスクから約150人の青少年・家族が来日し、夏には、ヒッポファミリークラブの青少年たちとグループリーダー74人がウラジオストク、ウスリースク、コムソムリスク・ナ・アムーレ、ハバロフスクへ。家族交流は20家族35名がウラジオストク、ハバロフスクで家族の一員になって交流させていただいた。この20余年の間、約3000人が日本から極東ロシアやイルクーツク、ノボシビルスクへホームステイに出かけ、約1200人のロシア家族・青少年がヒッポファミリー家庭にやってきた。

◆家族の一員になるホームステイ

小野寺科奈絵さん（吉川市・ヒッポファミリクラブフェロウ）はイギリスやニュージラン

ドで留学したり外国が好きで人との触れあいの機会を求めて、独身時代にヒッポファミリークラブに入会、結婚して「子育ては多言語で！でしょう〜」と地域のヒッポやホームステイ受け入れを楽しんでいる。ベトナム・スリランカ・マレーシア・シリア・コソボ・ホンジュラスなど国や行政などの海外研修生が家庭にやってきて、一緒にスーパーに行ったり料理をしたり。２０１２年の秋に初めてハバロフスクからロシア母子を１週間受け入れた。翌年３月に同じくハバロフスクからお父さんユーラとイゴールくん（９歳）を受け入れた。今度はぜひ私たちのロシアに来てくださいとお誘いを受け、こどもたちとロシア交流参加を決意。小野寺さんは、史登くん（７歳）、陽菜ちゃん（４歳）とヒッポの交流メンバー仲間と、親戚に会いに行くように出かけた。イゴールくんや初めて会うお姉ちゃんにも自分から遊んだり、再会したパーパチカにこども２人で肩もみしたり。ホストファミリーはもちろん、ヒッポで来日した沢山の皆さんともハバロフスクで交流した。ロシアの皆さんは日本で出会った人の名前をよく覚えていて、日本での出会いを実に大切にしている。交流は家族と家族、友だちと友だちが繋がっていく小野寺さんはそのことが感動だった。

小学生５年生からの青少年ホームステイ交流は、韓国、台湾にあわせて、毎年ロシアも大人気、楽しいことだけではなく、ホームシックやカルチュアショックを一人一人そしてみんなで乗り越え、笑顔になっていく。

極東ロシアは近くて、実に近い国、ロシアの家庭の扉を開けていただいて、みんなが食べているものを一緒にいただき、兄弟とあそび、家の手伝いもし、生活をしながら、ロシア語は家族が話すことばになる。

たった5人のパイオニアから始まったホームステイ交流は、相互に参加した青少年たち、家族たちの感動がことばになって、23年途絶えることなくリレイされている。お互いの国に本当の家族や親戚が住んでいるようになった。

◆2013年春サンクトペテルブルグで

昨年の夏、大野利可さん（しの笛演奏家、川越市ヒッポメンバー）から「サンクトペテルブルグ・春のジャパンフェスティバル、しの笛公演に参加しませんか？」とお誘いを受ける。サンクトペテルブルグ：オペラやバレエ、芸術の都、ドストエフスキーの世界・それにもまして、23年前にナホトカで出逢った私のホストファミリーが住んでいる！消息を手繰り寄せてメールを出してみると「マリンシャ！サンクトペテルブルグで待っています」と返事がきた。ママーチカ、パパーチカは健在、当時中学生のカーチャは結婚して近くに住んでいるという。マリンシャはママーチカが私にくれたロシアの名前だ。彼らとの再会を願い、憧れの都サンクトペテルブルクへ「しの笛」公演メンバーとして参加させてただくことを決意。主人と私はにわかにしの笛の練習を開始した。

3月26日深夜、ペテルブルグ・プールゴヴォ空港、ナホトカのマーマチカ・ヴァーリャシユネデールさんに再会、ネヴァ河もバルト海も凍る幻想的な街を通りぬけ彼らのアパートに到着し2泊させていただく。23年間止まっていた時計が今動きだしたように、ことばがあふれ出した。

◆サンクトペテルブルグ・春のジャパンフェスティバル　しの笛公演

しの笛グループと合流して、ジャパンフェスティバルが開幕した。ムソルグスキー音楽学校では学生たちと、サンクトペテルブルグ国立図書館では、バラライカ楽団・アンサンブルスコモロフィーと、2回のジョイントコンサートを実現。初のしの笛公演を、芸術や日本を愛する沢山の皆さんが熱い拍手でお迎えくださった。大野利可さん独奏「春のゆくへ」の調べで、主人・小出治史と私が舞踏・舞を踊る機会に恵まれたのは、ペテルブルグの幻惑に誘われたためかもしれない。

サンクトペテルブルグ露日友好協会の歓迎レセプションでは、日本を愛する若い学生さん、文化人、芸術家の皆さんと、ネヴァ河の氷が解けるほど熱い交流の時を過ごさせていただいた。「日本からきてくださったしの笛の音が、ペテルブルグに春を運んでくださった」とおことばをいただき、胸も熱くなった。

◆サンクトペテルブルグにヒッポの橋が架かる

この交流で出会った露日友好協会の一員であるダンシーナ・ソフィアさんからある日、来日を知らせるメールをいただいた。10月22日~24日、言語交流研究所でしの笛隊&ヒッポ本部歓迎会、横浜なみなみファミリー、千葉西グループのヒッポでお迎えした。

「来春にはサンクトペテルブルグの中学・高校生をヒッポホームステイに送りたいです。またその秋のジャパンフェスティバルには、どうぞヒッポの皆さんが来てください：そしてサンクトペテルブルグでもヒッポファミリークラブを始めましょう：ことばを尊敬して、世界が繋がって家族になる本当に大切な活動です」と。しの笛公演から、サンクトペテルブルグに橋が架かる。出会いがことばになって、皆さんの想いがことばになって、サンクトペテルブルグでも交流、そしてヒッポファミリークラブが生まれていくにちがいない：創ろう！

◆ことばが未来をひらく！

今回、マーマチカ・ヴァーリヤさんが言った。「23年前、マリンシャがナホトカにやってきて、それから私やカーチャ、そして沢山のロシア人が日本に行きました。ヒッポは私たちに人間の暮らし、世界の大きさ、そして限りない未来をくれました！」と。ソビエト時代に、彼女がどんな想いで私を迎え入れ、「ホームステイを始めよう」という私たちの願いに全力で向かい、ヒッポとの交流を開始し創り続けてくださっていたのか、改めてその決意に触れた。

極東のナホトカから極西のペテルブルグへ…ロシアの大地6600㎞を越えて、私たちの時計は止まることなく共に時を刻んでいたのだった。マーマチカ、カーチャと、そして、今回サンクトペテルブルグで出逢ったソフィアさんはじめ素敵なロシアの皆さんと、ここから未来に！

ヒッポファミリークラブのロシア交流を絶えず支えてくださったJICの伏田昌義さま、スタッフの皆さま、いつもご支援ありがとうございます。これからもヒッポファミリークラブの新しい冒険をぜひご一緒によろしくお願いいたします。

アグロムヌイスパッシーバ！

2013年11月10日発行　JICインフォメーション第177号

ロシア船上のダンス

シベリア鉄道で

ヒッポファミリークラブ
世界に広がる多言語仲間!

ナホトカの家族と 23 年ぶりに

サンクトペテルブルグで再会…

ルーマニア ブカレスト

多様な言語に耳を開いて

小学校から英語教育が導入され、２０２０年の東京オリンピックが決まったこともあり、外国語教育や外国人対応の話題が過熱する一方だが、いま一度、「人間の言葉」について考えてみたい。

私は１９８１年から、榊原陽代表理事が提唱する多言語自然習得の実践に参画してきた。この活動は、マサチューセッツ工科大学の言語学教授ノーム・チョムスキー氏、スザンヌ・フリン氏らに支持されている。フリン氏は▽子どもは言葉を教わるのではない▽人間の言葉は基本的に１つしかない▽１人が習得できる言語の数に限りはない―との原理を示すが、まさに同感である。

私はたまたま八戸に生まれたので南部弁を話す。もし津軽に生まれていたら津軽弁を、ロシアに生まれていたらロシア語を話しているだろう。人間は誰でも言葉を話せるようになる生得的な仕組みを持って生まれ、その環境の言語を話す。複数の言語が話されている国や地域の人々は、日常的にそれらを使う。いつのまにか自然に―それが人間の言葉だ。

7月、知人の結婚式に招かれ、夫と共にルーマニアを訪問した。経由で立ち寄ったトルコのイスタンブールで街に出ると、すれ違う人から「日本の方ですか?」「お母さん、何歳ですか?」などと日本語で声を掛けられ、「日本人と話したい!」という熱意に驚かされた。

オラディアで結婚式の後、首都ブカレストに住むルーマニア人夫妻を訪ねた。滞在した数日間、食事のたびにブカレストの生活や食、歴史について、私たちの感想や意見を聞くのが楽しみでならない様子だった。私の夫が思わずつぶやいた。「ここではおもてなしは言葉だ」

自分の考えを伝え、相手の思いや考えを確かめるために言葉がある…。今回出会った人々に「言葉は話したいから話せるようになる」ということを改めて教えられた。

トルコ語は発音やイントネーションが東北弁に似ている、ルーマニア語はヨーロッパのさまざまな言語の音が重なってることに気付いた。少し真似してみると、通じたり、褒められたり。どんな言葉でも自分で音を見つけて言ってみるのは実に楽しい。

周囲の音声をまねながら、言葉を創り出し、コミュニケーションする―これが赤ちゃんが言葉を獲得していくプロセスである。勉強ではなく、多様な言語の〝波〟に遊びながら親しむことが、外国語が「人間の言葉」になる近道であろう。

青森県には南部弁、津軽弁があり、隣国には韓国、中国、ロシア、アメリカがある。英語一つに悪戦苦闘するのはやめて、どんな人にも、どんな言葉にも耳を開いて心を寄せて、話しだして行こう。一言でも言葉は人と人をつないでいく。

2014年8月16日
デーリー東北新聞「発言席」

アフリカ
カメルーン

アフリカ「ことばと人間」の旅 上
カメルーン・トーゴ

多言語活動ヒッポファミリークラブのパイオニア交流に手を挙げ、私と夫は昨年十一月カメルーンとトーゴへ。大学生からシニア年代十六名が2週間のホームステイの旅に出発した。香港―アディスアベバからカメルーンの首都ヤウンデへ向かう。空港にはホストファミリーになる人々が待っていて、お互いに自分の家族を見つけては握手やハグの大歓声！ 私たち二人のホストはメンジ氏で日本留学中の交流から、生まれた息子さんに夫の名前を命名していただいたご縁で、「ハルシ君」に会いたいとこの企画が始まった。空港にハルシ君もいて、私たちはアフリカの「孫」との初対面に感無量だった。

各ホストファミリーの言語が皆違う

ヤウンデのホストファミリーの家は空港から繁華街をぬけ、郊外のジャングルの道を登った丘の上だった。夕食になり居間にいくと、家族や見知らぬ人々が集まっていた。電圧のためか照明が暗く誰が誰か分からないが、目がキラキラ眩しかった。翌日は小学校を訪問し、ヒッポの多言語プログラムを紹介。世界のことばでゲームやダンス、中国語日本語など何語ででも生徒たちは聞こえたようにすぐ真似っこした。声は大きく積極的、白い歯に笑顔が実に素敵だった。

カメルーンは約二五〇の民族とその言語があり、数日ホストファミリーと生活しているうちに、各ホストの言語が多様であることに私たちの誰もが気付いた。メンジ氏はンゾ族で「ムシャティ（こんにちは）」「アサカ？（元気）」と初めて耳にする音だった。出かける時「アベバ～」と思わずわたしが真似するとニコッと笑い、「アリガトアリガト」と私の口調で返ってきた。３歳のハルシ君は幼稚園（バイリンガルの英語部）に通っているが、家の中では家族が話しているンズ語、「マミー」（英語）「アトンデ」（フランス語）で、何語という境がない。もし夫婦が違う民族だったらどうするのと聞いてみると、メンジ氏は「まあフランス語か英語でかなぁ」とこともなげに言った。言語に対して優劣や敷居が全くない。この時、私の体内にまだ○○語という外国語の境があると思い知った。周りの人たち家族が話すことばがあるだけ、自分の嬉しさや考えを相手に伝えたい—言語の違いに境はない—人間のことばはひとつなのだと実感した。

人は誰でも多様な言語を自然に獲得

鶏の声で朝が明け水も電気も十分ではないが、多民族多文化多言語の人々は家族にも隣家にも境がなく、皆が助け合い一丸となって朗らかに生きている。人間は誰でも、環境の言語を多様に、自然に、必ず獲得できる仕組みを持っている。

英語はもちろん大切だが、英語ひとつを外国語教育として進めるのはどうなのか。家庭や学校・職場などに、世界の多様な言語が音楽のように流れ出し、聞こえた音やことば、メロディを大人も子供も自分で見つけて、ワイワイ楽しく投げあうのはどうだろう。カメルーンとトーゴの人々と、心を全開にして一緒に生きて学んだ「ことばと人間」の体験は無限大だ。

2018年2月5日「MORGEN」2月号

アフリカ
トーゴ

アフリカ「ことばと人間」の旅　下
カメルーン・トーゴ

ヒッポファミリークラブのアフリカホームステイ交流メンバーは、カメルーン滞在中に日本大使館へ表敬訪問した。交流に至る経緯やヤウンデでの活動を伝え、ホストファミリーとの交流を話す段になった。「アムガッカ～(ゴマラ語)」「アレー(ババンキ語)」「ムシャティ(ンズ語)」と、誰もがそれぞれホストファミリーのことばで話し始めた。それを聞いて岡村邦夫大使は「皆さんはカメルーンはもとより出会った人々、家族のことばを大切に交流されましたね。今回の経験を日本でも伝え、これからもカメルーンとの交流を続けてください」と話された。

カメルーンには約二五〇の民族と言語があり、共に生活する中で私たちは英語やフランス語に併せてホストファミリーのことばでも話した。ここでは効率を優先せず、食べ物も生活も異なったが、いつも沢山の人々や家族に包まれる感触は格別だった。1週間が過ぎホストファミリーと皆涙でお別れし、ヤウンデから空路トーゴの首都ロメに向かった。

ゼロからつくる みんなで創る

ロメの空港には、我らの「旺ちゃん」こと辻旺一郎君が満面の笑顔で出迎えてくれた。昨年夏から約半年間、文部科学省の留学でトーゴに滞在している大学生だ。辻君は三年前成人式を迎えた時「このまま大人になるってどうだ？　ことばが全く通じない世界で、生きていけるのか、自分に何ができるのかを試したい」と突然アフリカ行を決意。ヒッポワールドインターンシップ[*13]でトーゴや西アフリカに8ヵ月滞在した。もっと日本を紹介したいという辻君の想いを聞き、トーゴ・パリメ市で「ジャパンフェスティバル」を我々も一緒に実現しようとやってきた。

空港からレンタカーに乗り込むが、道路は舗装され、露天に並んでいる野菜・果物、衣服

＊13／希望する世界各地でインターンとして働くボランティア体験プログラム。

なども整然と並んでいる。「人も車も少ない」「秩序がある」と口々に歓声を上げた。その日はロメ市民と交流して一泊し、翌日辻君が滞在しているパリメ市に向かった。ドイツ統治時代に作られたという舗装道路が北へ二〇〇キロ真っ直ぐに続く。辻君の手配で民家で合宿や一人ずつのホームステイも体験した。辻君の活躍は今やパリメでは有名で、我々日本人が町を歩くと「オーチャン！」と声がかかった。

市役所の一角に「日本祭り」の横断幕が飾られていたが、自分たちでも宣伝しようと、チンドン屋で街を練り歩くことになった。赤道直下、昼下がりでも気温は40度近い。ユカタに三味線、小型スピーカー、鳴り物を手に、町行く人、オートバイで走っている人、お店の人に声をかけ、フランス語や英語、パリメについてから覚えたエヴェ語で誘った。

日本出発前に、夫々自分がやりたいことを出し合い、食材、料理・野球道具など備品はすべて自前で現地に運んだ。催事には食事がつきものと、カレー作りのため個々にお米もルウも持参した。

祭りの朝、４００人分の料理に取りかかった。市場から運んだ人参、ジャガイモ、ズッキーニ、玉葱、ニンニクを流れ作業でバケツで洗い、小型ナイフで切る。肉は塊を裁いて柑橘果物で消毒し、何度も水で洗い、これまたナイフで切るが中々切れない。七輪に炭から火を起こし巨大な鍋で野菜や肉を炒め、水を入れて煮るが一向に沸騰する気配もない。ご飯も炊くというが間に合うのか。

多言語が共存する社会は人間本来の在り方

二〇一七年十二月四日午後二時パリメ市役所ホールにて、日本祭りが開幕！私たちが多言語で自己紹介～現地のエヴェ語の挨拶にドッと歓声が沸く。観客を巻き込んで世界の歌やダンスの後、日本文化紹介を各コーナーで開始、どこも大人気だ。圧巻はファッションショーだ。辻君が支援した職業訓練校の学生たちにモデルになってもらった。日本の留袖や振袖など伝統の部、羽織とトーゴの布のロングスカートなどのコラボ、子供たちの部など約40組がヘアメイクや着付けをして登場すると、会場は歓声とアフリカドラムビートの嵐！ モデルさんたちは次第に得意顔になり、観客は仲間の麗姿に拍手喝采だ。チラシ配りからマラカス屋やオートバイのお兄さんもいた。やがて総立ちになって踊り出しアフリカとジャポンが渦になって溶け合った。

カレーライスやクレープに人々が群がり大パニックもあったが、パリメ市民との日本祭りが遂に実現した。

初め実現不可能と思うことでも、口に出すとやってみようかと仲間ができる。一人で見る夢は夢のままだが、皆で見る夢は現実になる。ここまで一緒に創りあげた日本からの仲間にも心から感動だった。

ヒッポファミリークラブは、一九八一年に日本でスタートした多言語の実践活動だ。カメルーンやトーゴには及ばないが、二十一の言語が家庭や職場に快く聞こえてくる環境をつくり出し、定例で家族や仲間が集って、多言語で交流する。赤ちゃんが母語を獲得していくプロセスを大人も子供も一緒に楽しむ。今交流の大学生、主婦、シニアの16人はその仲間たちだが、未知の世界に笑顔で溶け込んでいく姿に、アフリカの皆が寄ってきた。

多言語が共存する社会は、異なる言語や人に壁をつくらず、相手に近寄り、手を伸べあって共に生きていく人間本来の在り方だ。留学生メンジ氏や辻君に出会い、カメルーンやトーゴへの扉が開いた。アフリカの人々の温もりで国や民族・言語の境が溶け、広々とした新しい「ことばと人間」の世界が見える。そんな社会を日本でも実現していきたい。

2018年3月7日「MORGEN」3月号

まる１日かけてアフリカへ……カメルーンのハルくんと対面

トーゴ・パリメ市でオーちゃんと日本祭実現

第5章 ちっちゃな虹の手たち 物語

新丸子／銀座／小川町／八戸

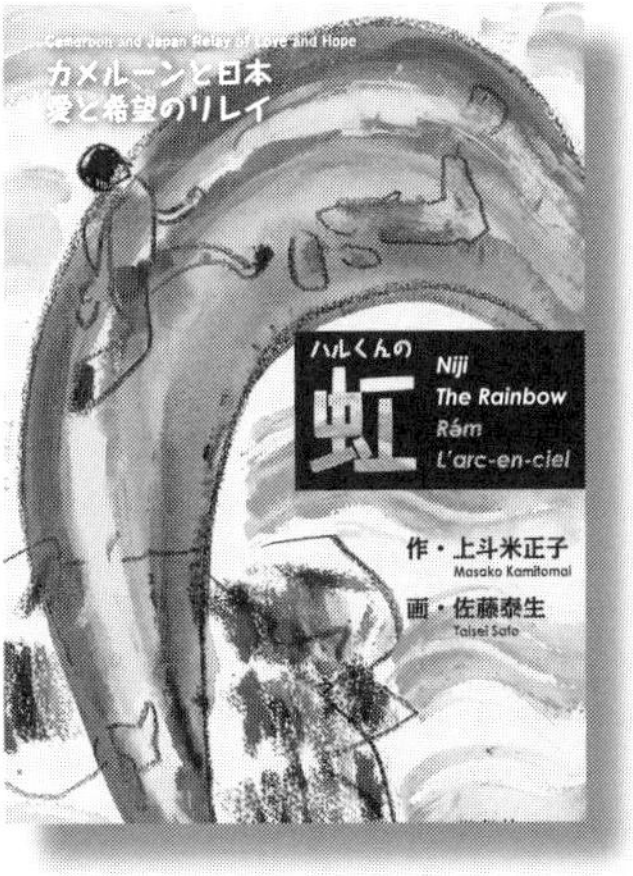

新丸子『ハル君の虹』に寄せて

ゆったりと遠くを眺めるような柔らかい視線と白い歯が微笑む。カメルーンの留学生Dr.Mengnjo Jude Wirmvem（愛称Menjiさん）の印象だ。２０１1年5月、横浜のホームステイ歓迎会でMenjiさんに出会う。「カメルーンにアフリカンダンスあるの？」という私の質問に、パソコンを開いてダンスシーンを示すと、思わず私は「オンレラ～オンレラ～」と歌いながら踊った。２５０民族、２５０言語が共存するカメルーンのことばのひとつを日本人が発したことに驚き、それがきっかけで、夫小出治史と私たちの交流が始まった。

メンジさんは、我が家にきては、くつろいでゴロンと寝ころんだり、一緒に散歩したり、夫と野球をしたり、私たちの日常を共に過ごしただけだった。やがて本国の女性と結婚して、第一子が誕生すると、その男の子に夫の名前「ハルシ・Harushi」を命名した。私たちは「生きているとこんなことが起こる」と心が震え、泪が溢れた。遥かなアフリカに、私たちの新しい命が誕生したように嬉しく、「ハルシ」くんに会いにカメルーンに行こうと仲間を誘った。

２０１7年11月22日〜12月6日、ヒッポファミリークラブ35周年記念オリジナル交流企画にエントリーして、19歳〜73歳の多言語仲間16人のカメルーン×トーゴホームステイ交流が実現。予防注射を沢山打って、丸々一日かかってやっと到着したヤウンデ・ンシマレン国際空港にはホストファミリーが大集合、大歓声やハグの嵐の中、私たちは「ハルシ」くんを発見！そこから、夫々のホストファミリーに抱えられるようにして連れられ、カメルーンでの生活が始まった。

何といってもカメルーンの日常、言語の環境は予想を超えていた。家の中では民族のことば、英語、フランス語、隣家の人々と言語が違う、ホストファミリー10家族の部族や言語はほとんど異なっている。出会った人とお互いに通じそうな言語をさぐりながら発語し交換する〜人間は本来、周りで話されている言語は、聞いていれば話せるようになる、10言語でも１００言語でも。人間の言語の基は「ひとつ」で、表面的な違いは僅かなバリエーションぐらいなものだろう。当時3歳の「ハルシ」くんはフランス語も英語も家族のことばも、脳は「ひとつ」の言語として感受している。言語の枠はない、言語の重なりから人間の言語は「ひとつ」だと体感した。

カメルーン生活に突入して、私たちの体内に在った遥か昔の田舎の風景や、皆が声をかけあうご近所つき合いが浮かんできた。バナナが自然に生えている。村でも町でも、出会った人と目があうと必ず声がかかる。給料がない時は、親兄弟、隣人同士、食料はもちろん、共同で生活するなど、いつも共に生きる、助け合って生きる、そのために言語があると。アフリカの大自然、便利ではない工夫する生活、そして明るいめげない人々の魂に触れ、熱いものが湧き上がり、その度に私は身体も心もことばも溶けていくようだった。

カメルーンから留学生として横浜にやって来たメンジさんは、恐る恐る私たちに、ちっちゃな虹の手を差し出し、その光が少しずつ強くなって、「ハルシ」くんが誕生したのかもしれない。メンジさんと私たち、ヒッポファミリークラブの仲間たち、アフリカの家族たちの心の共鳴共振が大きくなって、絵本『カメルーンと日本 愛と希望のリレイ ハルくんの虹・Niji/The Rainbow/Rə́m/L'arc-en-ciel』が誕生した。

画家「色彩の魔術師」佐藤泰生さんが、小出治史と長年の交友から、初めて絵本制作に取り組んでくださった。佐藤泰生さん、レイアウト編集・フォトコラージュの清水真美子さん、翻訳の白鳥正信さん、なつめステッドリーさん、のえステッドリー - チェリトンさん、遊行社本間千枝子さん・遠藤法子さんのご活躍に深く感謝いたします。そしてこの美しい物語をつくったメンジさん、ハルシくん、カメルーンの家族、ヒッポファミリークラブの皆さん、また特に本著「ハルくんの虹・Niji」にいつも虹を架け続けてくれた小出治史に、心からの愛を捧げます。

この絵本がカタチになるにつれて、新しい希望が沢山湧き上がってきました。そして、未来に虹を架けるハルくんは、きっとあなたご自身です。ちっちゃな虹の手たちが、ご家族やお友だち、近くの方々、日本中や世界の人々へと繋がって、優しい未来に大きな虹が架かることを祈りながら、私たちもまたここから歩み出していきます。

二〇二二年二月五日　ひかり眩しい多摩川の辺りにて

「カメルーンと日本 愛と希望のリレイ　ハルくんの虹」あとがき

銀座　教文館

コロナが陽炎のようになって迎えた早春の銀座、歩行者天国が甦り、木村屋の餡パンを頬張る家族や外国人の笑顔がみえる。そんな銀座の老舗書店教文館3階ギャラリーステラで、2023年2月1日〜15日、「カメルーンと日本　愛と希望のリレイ　ハルくんの虹」画家原画展×著者トークライブが、主催教文館・遊行社、後援カメルーン大使館・一般財団法人言語交流研究所により開催された。

昨年の今頃、いよいよ「ハルくんの虹」が印刷所に入稿になり、本の絵の色校正の段階になって、それまでデーターで親しんでいた佐藤泰生さんの原画を、初めて見た。強い筆致から溢れるパワー、色彩がキラキラ輝いて凄い。絵本が出版されたら、『佐藤泰生さんの原画展と「ハルくんの虹」に込めた希《ねが》いをことばにするトークライブを開きたい』と願った。

ギャラリーの壁に飾られた絵本「ハルくんの虹」原画26点、初め一点一点は寡黙だったが、いろいろな方が来場するにつれて、原画は日増しに表情が豊かになり饒舌になり、来訪者との対話を楽しんでいった。

著者トークライブ2月4日（土）、5日（日）、11日（土・祝）は3回企画され、主催側は当初誰が来るのですか〜と不安な面持ちだったが、延べ150人の方々が集い、参加された皆さんの熱量により、「ハルくんの虹」に込めた私の魂が引き出され、会場全体がライブコンサート、アフリカダンスパーティさながらの歓声とパッションが湧き起こった。

お話をさせていただきながら、画家佐藤泰生さん、治史や私に対するご参加皆さんの輝く視線、笑顔、体全身の呼応と応援がどんどん伝わってきた。ご参加皆さんの心の軌道が私たちに共鳴交響して、各回90分終了時には、会場中にちっちゃな虹、おっきな虹が幾重にも湧き上がって見えた。教文館の一角ギャラリーステラは、不思議な磁力場の超新星誕生！「ハルくんの虹」原画から佐藤泰生さんのアートパッションと参加皆さまの歓声に包まれながら、治史は戦後を生きた人生とアフリカの哀史が新しい絵の具で塗り替えられ、私には何か新しい未来が彩かに迫ってきた。

教文館吉國選也さん（キリスト教書部店長）が主催者でご挨拶してくださった「虹」の話

は、新たな引力となった。聖書の「ノアの箱舟」に触れ、「虹」は神と人との契約の象徴であり、見える世界と見えない世界の架け橋なのだと。見えない世界の応答を、見える世界の者が問いかけることによって、見えない世界から応答してくる。人間と人間とのコミュニケーションの手段はことばだが、同時にまだ見ぬ世界に問いかけて、その応答を得ていく～今回、カメルーンという新たな新天地をひらいた書籍に「ハルくんの虹」というタイトルがついているのは、まさにそういうことですと。

私自身も画家原画展×著者トークライブは初のチャレンジだった。「ハルくんの虹」への道程を話すだけではなく、集まった皆さんと共に、私自身「ハルくんの虹」から彼方にグーンと飛んでいきたいという希《ねが》いが叶い、教文館イベントで湧き起こった超新星爆発によって、絵本「ハルくんの虹」がこれからどこまで飛んでいくのだろうと、鼓動がますます高鳴るばかり。

「ハルくんの虹」の彼方。

アフリカの国々、人々の生活や文化、言語について
想いを馳せたことはありますか？
遥かな未知の世界を想像しながら、日々の枠をグーンと超えて楽しいこと、
面白いこと、考えてもみなかったこと、どんどん創造してみませんか。
「日本とカメルーン 愛と希望のリレイ ハルくんの虹」には、「企て《ヒミツ》」がいっぱい!?
カメルーンでは約250の民族と言語があり
「ハルくんの虹」は日本語、英語、ンゾ語（ハルくんの家族のことば）、
フランス語の4ヵ国語で語られていますが、ホントかな。
佐藤泰生さんのアートワールド～色彩が光ってる！歌ってる！踊ってる！
～魂の叫び、そして、子守り唄《ララバイ》みたいに温かく限りなく優しい。
佐藤泰生さんの芸術言語は、何語かな。
メンジさんは、日本で体験したことすべてを7色のことばにして
カメルーンの樹木に彫って、日本まで背負って運んできたよ。

伝えたい想いは「ありがとう」。
それにしても、どうして
息子さんにはるさんの名前「HARUSHI」と命名したのかな。

未知の世界に想いを寄せる。
そして一番近くの人にことばをかける。
そのことばはどんな温度？　どんな色？　どんなメロディ？　何語かな。
ちっちゃな虹の手たちの心とことばで
隣の人と、遥かな人々と「凛」として繋がって行こう。
ここから、何処へ？　誰へ？
新しい優しいことばの虹が架かるかな。
あなたが虹！

二〇二三年二月一日

小川町　小川町町立図書館

池袋から約一時間、あの日、あの駅に降り立った。東上線森林公園を過ぎたあたりから、緑が鬱蒼と濃くなり、空気が透明になる。そして埼玉県比企郡小川町駅。駅舎には誰もおらず、駅前ロータリーには人もバスもおらず、コンビニは遥か彼方だ。

埼玉県立小川高校の谷野浩人先生を訪問。小川高校は高校生が町民と多様なプロジェクトを組んで、地域の文化や生活に入り込み、深い実学「おがわ学」を実践しているモデル校でもある。言語交流研究員が小川高校で「国際理解授業」を担当した時、多言語活動と多言語仲間が醸し出す雰囲気をキャッチしてか、谷野先生はにこやかにお話してくださり、私は初対面だったにも関わらず、旧知の友に再会のような時間になった。

帰り際に「面白いユーチューバーが、先日授業に来てくれたんです。台湾帰りです」と。すぐユーチューブをチェックしてみると、彼のその「才能」と「甘やかさ」に驚いた。卒業式を三日後にした三年生に、高校時代の思い出を、思いついたままことばにしてもらう。回収した言の葉を、紡いで織りなして、卒業思い出ソング「修学旅行も行けなかった」の歌になった。面白い人がいるなあ。

その年の暮、埼玉県の教育フォーラムが三年ぶりにリアル開催になって二百人もの人々が集結、『谷野先生がご参加だったら』と絵本を忍ばせていたが、盛況の会合、そして顔はマスクで覆われているので、先生らしき人はいない。と、声がかかった。谷野先生だ。私は「ハルくんの虹」を出版したこと、本全体のテーマソング（詩）「ちっちゃな虹の手たち」を、「あのユーチューバーに、歌をつくって歌っていただきたいのですが・・・」と思わず話してしまい、絵本を渡していた。

年が明けて二月東京銀座教文館で「ハルくんの虹」原画展×トークライブ開催。谷野先生にご案内を・・は住所不明で送らず・・。この会に嵐山のまこりぃと深谷のさらの二名の研究員が参加してくださって、小川町町立図書館で二〇二三年四月二三日、「ハルくんの虹」ワークショップをぜひやりたいということになった。準備は小学生たちが日本語を朗読、お母さん方が「ちっちゃな虹の手たち」四ヵ国語の詩の好きな部分を発声してみるなど、多世代を巻き込んで毎朝ラインを利用して準備が始まっていった。谷野先生はユーチューバーに私の伝言をリレイして、一度話を聞いていただくことになった。

再び小川町駅。その日は雨。会合は有機野菜食堂「わらしべ」にて。明治時代に建てられた養蚕伝習所の風格が雨に似合う。中に入ると、スクっとした立ち姿の人が私たちを迎えた。真摯な面持ちで差し出された名刺には『稲村壌治―小川町ユーチューバーミュージシャン議員』と。彼が曲を作りたいかどうかを引き出すのだと心に決めて臨んだのに、絵本のことになると私は熱を帯び早口になり、あっという間に夕方になった。退出前に「やりましょう」と、普通のテンションで声が聞こえた。歌のお披露目は四月二三日のトークライブ&多言語であそぼうワークショップを目指すことに。しかし私には彼が本当に歌いたいのかどうかが分からず、「わらしべ」の有機野菜メニューの味も、古民家佇まいの時間の流れも飛んでしまい、帰路は行き先不明の電車に紛れ込み、何時間も走っているように思われた。

三度目の小川町駅。新丸子から副都心線、東武線に乗り入れているも、小川町までの本数が少なく乗り継ぎに失敗し、治史と行程をめぐる会話のせいで、駅は興奮していた。到着予定時間に遅れ、タクシーで町立図書館へ。館内はそれまでの準備や練習で盛り上がってい て、会場はもっと興奮していた。ヒッポメンバー家族も、初めて参加する小川町市民の方々も、用意された万国民族衣装を纏い、図書館はどんどん多言語の公園になった。

小学生が絵本を朗読、多言語で詩の朗読から、一ページづつ物語が進み、会場全体がおっきな絵本だった。私たちも絵本から飛び出して、全身でメッセージを発した。人と人が出会い、視線や笑顔、その人の温かさや辛さを共有し、直に触れ合うこと、手を繋ぎあうことができれば、たとえその力が一見弱々しくとも、その温もりが必ずや未来を新しく拓くと。

後半会場全員多世代が歌って踊って遊んで多世代で交流。最後に「ちっちゃな虹の手たち」を稲村譲治（通称ジョージ）さんが初ご披露。森羅万象みんなが繋がりたい、みんな、手から虹がでているんだよ。ジョージさんの歌声から、ひとりひとりからこの日のわくわくが引き出され、会場全体がつながる一体感。小川高校の映像チーム学生さんは、「チャオ！」「ジャンボ！」「オッラー」と各国語で挨拶した。図書館の外に出てみると、夕暮れに虹が見えた気がした。

六月二五日、武蔵小杉は朝から雨。ジョージさんの歌のミュージック動画撮影の日だ。小川町付近が朝九時に雨だったら撮影は中止の連絡。次回といっても次回の予定は未定だ。まこりぃが屋内で撮影できるところを緊急手配完了で、中止は中止になり、とにかく現地集合の伝令。小川町隣の嵐山南公民館に赤ちゃんからシニアメンバー約三十人が集合。映像ディレクターぽちさんとジョージさんが、木造教室のような空間と多世代家族の材料だけで、「ちっちゃな虹の手たち」の世界観を創り出そうと思案の中、私たちはいつものように多言語で自己紹介やゲームやダンスといたってのんびりだ。

どうやらコンセプトが固まったようで、中央にある黒板に「ちっちゃな虹の手たち」の世界観を個々に描いていこう~フクロウ、ニワトリ、お花、虹など、描きたい子どもたち大人たちが自主的に手をあげる。好き好きに世界の衣装を身に纏い、まもなくテイク1が始まった。ジョージさんの歌にあわせて、黒板に各々が描き始める。初め真っ暗な草原にフクロウがほおぅほおぅと鳴き、曙とともにニワトリのこけこっこうの声が聞こえるように、カメルーンの大地や暮らしが出現。歌が終わると、みんなは何事もなかったように消えていく。と虹、ちっちゃな虹の手たちが繋がって広がって、中央に大きな虹が立ち上がっている。夢、から醒めたようにジョージさんが歩き出す。

テイク2で動画はどうやら完了、みんなの中に歓声が沸き起こる。ぽちさんは「普段から一緒に活動しているだけあって、チームワークがすごいですね。一発でいきました」と驚いた。

驚いたのは私の方で、ここに集まった子どもたち家族たちはほとんど初対面だ。普段小川町、嵐山、川越や横浜など多言語を楽しんでいる場所はばらばらだけれど、ひとりひとりのなかに、初めての人でも、子どもでも大人でも、外国人でも、自然に仲良くしたい気持ちの種がある。カメラが動きだすと、その種がむくむく動き出して芽がぐるぐる伸びだして、ちっちゃな虹の手になっちゃったのかな。まっ白な黒板が、ジョージさんの歌にあわせて、森羅万象の世界になったことに、私も驚き、本当に感動だ。ジョージさんついにファイヤー、彼の声が聞こえた。

目には視えないことが、こんなに鮮やかに見える。谷野先生からジョージさんへ、小川町の多言語交流から「ちっちゃな虹の手たち」の歌とミュージック動画完成へ、虹はどこまでも伸びる。外にでるとまだ雨模様、霧雨の空の彼方にとびっきりおっきな虹が、私にははっきりと見えた。ジョージさんの「ちっちゃな虹の手たち」の歌が、NHKの「みんなのうた」やユーチューブで流れ、世界中の人々と一緒に歌って踊る姿が私には見える。

二〇二三年六月三〇日

ちっちゃな虹の手たちからおっきな虹が架かる！
絵本「ハルくんの虹」著者トークライブ＆多言語で遊ぼう in 小川町立図書館

SCAN ME !

稲村ジョージ「ちっちゃな虹の手たち」作曲・歌

Small Rainbow Hands

This theme song was born while building the “Niji · Rainbow” with you.
While listening to the reading voice by the QR code, let's sing this poem
in the languages of your region and country with people all over the world.

from「Cameroon and Japan Relay of Love and Hope Harukun's Niji/The Rainbow/Rə́m/L'arc-en-ciel」

Shiwán shé mesasáy mè rəm

Viŋkfə̀y vi tóŋ e mesənér ji "ú uuù, ú uuù"
Shwéri sə' viŋgà
A vishàm vi líynen e ŋwè' yee kijàvndzə
Yàá suuy jii, "wáy kifá ki é shuù"
A ŋgaà yè'éy suuy jii, "à bvəə́ shi à kìn
mùm kitávín".

E ghan see shooy
Shinsíy shi rún e mó si
Mensíy a mè nja'kìr moo kfə́m, kér ncòm
se rəm sí
Mesásáy mè rəm a mè tá'ám du virə́' vidzəm
A dzə̀ à yèn á?

Ŋgvəvsi tóŋnen kijàvndze ji, "kuùkúlúukuu,
kuùkúlúukuu"
A wúm sí túmkir kaári nsay ye baàr
A vibuushì vé kiŋgòm ví lo sá sa'án
Wóné səŋ mendzə́v ji "wùúr, wùúr"
A tàá suuy jii, "távsín".

E ghan see shooy
Vijuŋ vi rún e mó wùn
A ndzə'nèn si nja'kìr moo kfə́m, kfə̀n kér
ncòm se rəm sí sidzə̀m
A mesásáy mè rəm mè
tá'ám du virə́' vidzəm
Mè kum wò à?

Petites mains arc-en-ciel

Hiboux hurlant dans l'obscurité,
“Tu-whit, tu-whit, tu-whoo”
Des herbes qui se balancent dans la brise
Des grenouilles sautent dans la rosée du matin
Grand-mère disant : «Mange quelque chose»
Maître disant : « Faites de votre mieux demain »

A ce moment-là
Les larmes débordent de mon corps
Les larmes scintillent comme du brouillard
brillant de toutes les couleurs de l'arc-en-ciel
Les petites mains arc-en-ciel s'étendent
partout
Pouvez-vous les voir?

Coqs chantant à l'aube, “Cocoricoo cocoricoo”
Œufs tombant et roulant sur le sol rouge
Fleurs de bananier bientôt épanouies
Enfants tirant de l'eau : « Tschuup tschuup »
Grand-père disant : « Bon courage »

A ce moment-là
Une poussée d'excitation monte dans mon corps
Les sueurs scintillent comme du brouillard
brillant de toutes les couleurs de l'arc-en-ciel
Les petites mains arc-en-ciel s'étendent
partout
Vont-elles vous toucher ?

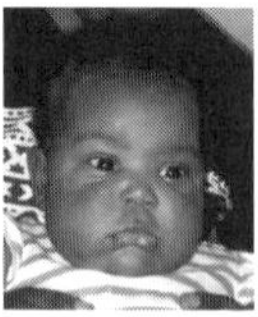

ちっちゃな虹の手たち

あなたに『虹・Niji』を架けながら、このテーマソングが生まれたよ。
QR コードから音声で聞きながら、あなたの地域や国のことばにもして、世界中のみなさんと一緒に歌いたいな。

「カメルーンと日本　愛と希望のリレイ　ハルくんの虹」より

ちっちゃな 虹の手たち

暗闇に　梟《ふくろう》　鳴く　ほおぅ　ほおぅ
風に　草　踊り
朝露に　蛙　跳ぶ
ばあちゃんの声　まんまくえ
先生の声　明日もがんばろなぁ

そんな時
ボクの身体から　ググッと泪が溢れちゃう
泪は霧みたいになって
七色の光　キラッキラ
ちっちゃな虹の手たち　どこまでも伸びる
あなたには　見えるかな

曙《あかつき》に　鶏《にわとり》　叫ぶ　こけこっこう
赤土に　卵　ポトリン　くるくるりん
バナナの花　もうすぐ　開く　ぶるーん
水汲む子どもたち　オーエス　オーエス
じいちゃんの声　ボンクラージュ

そんな時
ボクの身体から　ギュギュと熱気が溢れちゃう
汗は霧みたいになって
七色の光　キラッキラ
ちっちゃな虹の手たち　どこまでも伸びる
あなたにも　届くかな

Small Rainbow Hands

Owls hooting in darkness, “Hou-hou, hou-hou”
Grasses swinging in a breeze
Frogs jumping over morning dew
Grandma saying, “Have a snack”
Teacher saying, “Do your best again tomorrow”

On such occasions
A drop of tears wells up in my body
Tears sparkle like fog with all the colors of the rainbow
Small rainbow hands are extended everywhere
Can you see them?

Roosters crowing at dawn,
“Cock-a-doodle-doo”
Eggs falling round and round on red soil
Banana flowers coming soon in bloom
Children drawing water,
“Rhuup, rhuup”
Grandpa saying, “Bon courage”

On such occasions
A rush of excitement wells up in my body
Sweats sparkle like fog with all the colors of the rainbow
Small rainbow hands are
extended everywhere
Will they touch you?

八戸　八戸市美術館

八戸市に美術館誕生は、新美術館建設推進室が稼働した当時から、私の夢であった。二〇二一年冬、完成した美術館に足を踏み入れた時、白亜の城から降り注ぐ光と冷気に眩惑しながら、いつの日かここで、家族連れや世界の人々が集い笑顔と歓声溢れることをしたい、と夢見ていた。

そして、この夏八戸市の沢山の方々のご支援によりその夢「八戸から世界へ！未来へ！二〇二三年多言語スペシャルin 八戸」が実現された。絵本「ハルくんの虹」画家・佐藤泰生さん、「世界のことばで遊ぼう」ヒッポファミリークラブの八戸や関東・関西からの家族たち、市内や県内外在住の方々、台湾、香港、北京、ルーマニア・ドイツ、イタリアから訪れた観光客皆さんと、「ハルくんの虹」の原画、「世界のことばで遊ぼう」に触れながら、ここで出会った「今」に歓声を上げ、声を出し、いっぱい笑いあった。地元にいても中々会えないけど、今日は誘ってきたよという中学・高校の同窓生たちは、体型や髪色はずいぶん変化したけれど、柔らかい語り口と好奇心の眼差しは、誰も変わらず温かい。

七月二六日八戸市美術館ギャラリーで「ハルくんの虹」原画展と「世界のことばで遊ぼう」オープニングセレブレーション開幕。中村智子（八戸ヒッポファミリークラブ研究員）司会のもと、八幡馬ダンスでヒッポファミリーの子供たちや家族が入場。まずは、モンゴル語、韓国語、英語、フランス語などでご挨拶。熊谷雄一八戸市長のご祝辞を下斗米一哉さん（八戸市観光文化スポーツ部文化創造推進課課長）が読まれた後、『ハルくんの虹』はホロっと来るので仕事中は読んではいけません。魂が揺さぶられる本です」と話された。荒瀬潔さん(デーリー東北新聞社会長）は「これからは民族や国を超越して、人間同士の交流がカギになります。皆さんの活動に期待するとともに、七色のことばで地球の皆が仲良くしていこうという大作戦～ハルくんの夢をみんなで実現できるよう祈っております」と話され、お二人の言葉に私は胸がいっぱいになった。

佐藤泰生さんは「八戸には行かないよーからでしたが、こんな立派な会で驚いています。絵本のことばの広がりが素晴らしいです」と。日本を代表する油彩画巨匠の佐藤さんが、私の物語に画を描いてくださったこと、またこうして「今」八戸に来てくださったことも、いまだに夢だ。それにしても佐藤ワールドは凄い。原画展のハルくんは、初め恥ずかしそうに伏目がちだったが、市民皆さんの眼差しにゆれて次第に心を開いていくプロセスがたまらない。特別展示百号三点、『アトリエ』の人物はどんどん動く。『竜宮の使い　水の迷宮』画中音楽にあわせて、黄色い魚が一斉に泳ぎ出し美術館に海水が溢れ出す。『サーカス　炎と象と女』の後方で空中ブランコや曲芸をしている芸人はダリの画面から踊りに来たようだ。そんな変化を醸し出す八戸市美術館は不思議な城。画が一緒に歌う、踊る、夢見る。

原画展初日、一人の女性が食い入るように絵画を鑑ている。「視えないモノを描くとはこういうことなのですね」と呟いた。夏の間子供たちに画を教えているという。佐藤芸術の魔法に魅せられたようだが、私には、実は目には視えない言語の物語『ハルくんの虹』の魂に触れて、かもしれないと感じた。

思えば十八歳の春、私はボストンバックに荷物を詰め込み、特急はつかりに乗り込んで上京。コロナ禍で失われたこの三年のように、大学紛争に塗れた一九六九年からの歳月は未来が粉々に砕けたっけ。学業もそこそこに卒業後、初めて海外旅行へ。フランスでもイタリアでも、ここに生まれれば誰でもその言語を話す。ことばはどこから来るのだろうと想い帰国。

東京で就職しようと受けた団体が、後に多言語活動を創始して今に至る。

東日本大震災の年に、横浜でカメルーン留学生に出逢い、彼が我々の在り方を見つけてくださり、息子さんに夫の名前「ハルシ」を命名、「ハルくん」が生まれた。多言語の活動から、佐藤芸術と共に絵本『ハルくんの虹 カメルーンと日本 愛と希望のリレイ』（遊行社刊）が誕生したこと、このすべてが夢だ。世界のことば、アートのことばも、伝えたいのは何語でもないあなた自身の想い、私からは心からのありがとう。

「ハルくんの虹」と共に、半世紀ぶりに八戸市美術館に帰って来ることができた幸運に、感謝の涙が溢れて止まらない。八戸市美術館の「世界のことばで遊ぼう」が終わり、「ハルくんの虹」の原画一点一点を降ろしながら、この五日間の会場いっぱいに湧き起こった歓声や笑顔、美しい抱擁《HUG》と熱量を私の身体に刻んだ。ギャラリーを見渡すと大きな窓に街が絵になって出現し、溢れる光の束をハルくんが駆け上がっていくのが見えた。八戸市へハルくんが虹を架けたね。ここに集ってくださった皆さん一人ひとりの想いのことばが七色に輝いて、誰かへ、どこかへ、未来へことばで虹が架かる。

二〇二三年年八月八日

八戸から世界へ！ 未来へ！
2023 多言語スペシャル in 八戸

「ハルくんの虹」画家・佐藤泰生原画展と著者・上斗米正子トークライブ＆「世界のことばで遊ぼう！」ワークショップ／来場者が自分の手形に夢と希望を描く。

第6章 舞踏《ダンス》の系譜《リレイ》

長谷川龍生　詩人
（1928年6月19日－2019年8月20日）

推し・有飛行

あこがれの的をしぼって
日常を楽しく生きる営為
それは　翔ぶことだと
作者の上斗米正子さんは覚った
市井の天才画家の羽を透して

地上のさまざまな「物」が見える
身辺のさまざまな「事」が見える
コトバは　音楽のように
音楽は　滑走する思考のように
思考は　せつない恋のように
恋は　あふれ出るコトバのように
空間としての記憶をつくる

「有飛行　有元利夫と仲間たち」帯　風濤社
1987年4月24日

「春秋」

だれにでも好きな絵とか画家というものがある。しかし、その好きがこうじて、ずぶの素人が一冊の本を書き上げるまでに至った例は少ないに違いない。

▼平凡なOLの一人と自称する上斗米正子さんがこのほど『有飛行―有元利夫と仲間たち』（風濤社）という本を出した。最初から本にしようと思って書いたわけではない。有元利夫の絵が好きで好きで、いつも眺めているうちに内面からほとばしる言葉が止まらなくなって、いつのまにか本になってしまったのだという。自分が書いたのではない。有元さんが書かせたのだと、本人自身もびっくりしている。

▼有元利夫。岡山県生まれ、東京・谷中で育ち、東京芸大卒後、岩絵の具

を使ったその幻想的な絵が画壇の注目を集めていたが、一昨年、ガンのため三十八歳の若さで亡くなった。上斗米さんは、この画家に生前一度も会ったこともない。その出会いは本屋でひょいと手にした画集だった。中世のロシア・イコン（聖画）とルネサンス期のビーナスが溶け合ったかのような女性像の不思議な魅力がそこにあった。

▼臨終の床でこの天才画家は脇の下に手をやり「羽が生えてきた」とつぶやいたという。その羽が上斗米さんの心にも生え、宇宙遊泳飛行にかり立てたらしい。有元利夫の赤とカンディンスキーの赤、両者の絵から立ちのぼる詩と音楽性には共通するものがあると彼女は言う。絵は専門家、美術評論家だけのものではない。一人ひとりが勝手に夢をはぐくむものであっていい。

日本經濟新聞「春秋」

昭和62年（1987年）6月1日

不思議な本

赤瀬川隼　作家
（1931年11月5日－2015年1月26日）

不思議な本を読んだ。その本は私の家に紙飛行機ならぬ紙UFOのように舞い込んできた。そして私にとってはいまだに「未確認飛行物体」が机の上に止まっている感じである。上斗米正子著『有飛行　有元利夫と仲間たち』（風濤社刊）がそれだ。著者は七〇年代に大学生活を送ったOLで、本を出すのはこれが初めてという。

画家有元利夫は、一九八五年二月二十四日に三十八歳の若さで病没した。主に日本画の岩絵具、箔、金泥などを用い、ヨーロッパの古典的な絵画やイコン（聖像画）を連想させる人物や風物を、独特な詩性あるいは音楽性でデフォルメし、不思議な素朴さと静かさに到達した絵の数々を残した――どうもまどろっこしい。こういうことばを綴る自分がである。少しも絵を語っている気がしないのだ。

一般に絵画や音楽はそれ自体が大きな意味での言語表現行為なので、それについてまた言語で感想を述べようとすると、その対象の内に潜む默示的言語とのずれを感じ、まどろっこしさを感じることが多い。他の人の美術批評や音楽批評でもしばしばそれを感じる。

ところが、有元利夫という画家とその作品を対象にしたこの本は、本であるからにはことばに依っているのだが、その種のまどろっこしさを感じさせない。それは、著者自身がことばを独特な詩性あるいは音楽性でデフォルメし、ほとばしり出るままに飛翔させているからである。彼女は、有元利夫を他人に「説明」しようとはゆめ思っていない。ただ彼女が画家とともに生きた時空（といっても画家と面識があったわけではなく、著者が有元の絵の格別なファンだったという意味）のさまざまな想念が、画家の死によって激しく渦巻き、彼女自身の生とないまざって止めようもない音楽となって鳴り、それがあふれ出て散文になったという感じである。それが、整序された客観的な文章にない不思議な魅力を呼ぶ。四楽章に分かれているが、その形式のせいではなく、いわば音感的な文体なのである。それに加えて著者は、実に多くの分野の芸術・学問に関心を持ち、本文中に詩や音楽はもちろん、ロシア語、フランス語、韓国語などの断片が飛び交い、私などはときどき宇宙船酔いにかかったようなめまいを覚えるほどだ。しかしペダンチックに感じないのは、一人の画家への深い愛の表現に、自分の持てるすべてをさらけ出さずばやまじといった著者のひたむきな姿が読み取れるからだろう。
と、私はこのユニークな本について、るると他言を費やすのだが、詩人の長谷川龍生は、この本の帯でうらやましいほど無駄なくうたう。その後半、「コトバは　音楽のように　音楽は　滑走する思考のように　思考は　せつない恋のように　恋は　あふれでるコトバのように　空間としての記憶をつくる」――この美しいシリトリの無限円環運動に私はまたもや宇宙船酔いにかかったようにめくるめく。

日本經濟新聞（夕刊）
昭和62年（1987年）8月19日

推し・上斗米正子

亀山郁夫　名古屋外国語大学学長　ロシア文学

上斗米正子さんとの出会いは、一九八五年にまで遡る。

彼女の快著『有飛行―有元利夫と仲間たち』が出た頃と記憶が重なっている。

一読して、霊感に満ち溢れたすばらしい一冊だと思った。

その彼女が、私が当時研究していた詩人フレーブニコフのファンであると知って驚いた。

むろん、それには理由があった。

ヒッポファミリークラブ創設者、榊原陽さんの薫陶を受けていたのである。

フレーブニコフの有名なテーゼ「創造の故国は未来に」が、「ヒッポ」の精神的原点をなしていることを知って私の驚きは倍加した。
彼女が、かりに「ヒッポ」が生んだ最高の伝道者の一人だとすれば、私は、幸せにも、その伝道者が精神的に成熟を遂げていく目撃者の一人という立ち位置にある。

一般財団法人言語交流研究所 ヒッポファミリークラブ
中部ワークショップ案内チラシ
2020年10月24日

見つけた！あおもり人《びと》
上斗米正子さん 八戸市出身

清水典子　オフィス「私的に素敵」代表

東京銀座の教文館ギャラリーで開かれたトークライブに誘われ、参加した。２０２２年に上斗米正子さんが出版した絵本『ハルくんの虹─カメルーンと日本 愛と希望のリレイ』（遊行社刊）の出版を記念して開かれたもので、作者の上斗米さんと画を描いた画家佐藤泰生さん、上斗米さんの夫小出治史さん、３人による楽しいトークが展開した。

トークの中で、「オンレラ、オンレラ〜」と歌いながら、その場で軽やかに踊る上斗米さんの姿に度肝を抜かれた。今まで出会ったことのないタイプの女性だ。

40年余り多言語活動に携わってきた上斗米さんは「にこやかな女傑」と紹介された。どんな言語の人ともさり気なくコミュニケーションを取り、いつの間にか相手のふところに入って、英語、フランス語、ロシア語、中国語、韓国語など7つの言葉でにこにこと言葉を交わしているという不思議な人。上斗米さんにとって言語とは特別なものではなく、空気みたいな存在のよう。

『ハルくんの虹』は言語や文化を超えて、人と人は繋がることができる、そんな思いを込めて作った。絵本の最大の特徴は日本語、英語、フランス語、そしてこの絵本の語り部である「ハルくん」が暮らすカメルーンの言葉のひとつ「ンゾ語」と4つの言語で書かれている点。世界中のさまざまな言語の人に読んでほしいという思いが込められている。

上斗米さんは八戸市の生まれ。種差海岸や鮫海岸を眺めて育った。

「広い世界にひかれ、高校時代の夢は専門分野という限定された知識を教えるのではない人になることでした。人間の持つ無限の可能性と出合うことに憧れていたのでしょうね」

5歳から創作舞踊研究所に通い、全国舞踊コンクールにも出場。歩くこと、呼吸をすること、飛ぶことに始まり、踊ることの基本、踊る魂を教わった。こんな感じ、ズンズンズン～とすぐさま体で表現してくれる。身体言語という世界共通の表現が身についているのだろう。果てしなく自由な感じ。遠くへの憧れはいつも心にあったという。

立教大学を卒業後、「言語交流研究所」の設立に携わり、「ヒッポファミリークラブ」の研究員として道なき道を歩いてきた。

「言語習得は決して訓練ではなく、なじんでいくことが大切。赤ちゃんが言葉を覚えていくように、音声が自然に体の中に入っていきます。言語を話す仕組みの根幹が豊かになると、境界線が溶けてどんな言語もじんわり浸透していきます。自分の体を通して言語の在り方を見つけてきました。私の仕事はさまざまな言語を話す人間と向き合うことかしら」と上斗米さんは話す。

『ハルくんの虹』は上斗米さん夫妻が出会ったカメルーンからの留学生メンジョさんとの交流、夫治史さんの名前を受け就いたメンジョさんの息子ハルくんがカメルーンに誕生したことがきっかけとなって、生まれた。「ハルくんに会うため、カメルーンまで仲間たちと行きました。カメルーンには250言語もあって、家庭内でも違う言語が飛び交うという国。当時3歳のハルくんは英語、フランス語、部族語など多種の言語を使ってコミュニケーションを取っていました。言語の枠はなく、まさに境界線のない世界でした。これからこの絵本がもっとさまざまな言語で表現され、世界中とやさしい連帯をしていけたら」とおおらかな笑顔で語る上斗米さん。やはり、彼女はにこやかな女傑だった。

やすらぎ　vol.91　2023. June　青森県市町村職員退職手当組合　発行編集

ハルくんの夢

荒瀬　潔　デーリー東北新聞社　会長

一九八三年、たまたま私は新聞記者として、デーリー東北新聞東京支社に赴任になりましたが、その二年ほど前に朝日新聞や日経新聞一面コラムにヒッポファミリークラブのことが出てきて、面白い取り組みだなあと思い、最初に上斗米さんを取材にいきました。それ以来ずっとお世話になっております。

上斗米さんと会っていつも二つのことを痛感し教えられます。ひとつは元気の良さ、バイタリティです。そうしてアフリカでもどこでも飛びまわっているのだろうと思いますが、いつもその元気をいただきます。

もうひとつは言葉を大事にされていることです。お会いしてお話していると、私の心を鷲掴みするように、どんどんどんどんお話をされるのです。上斗米さんは言葉というより、心と心の交流を大切にして、世界を飛びまわっているのだと。我々メディアとして言葉を伝える仕事をしておりますが、新聞社としてもそういう点を学んで、もう少し頑張らなければと思っております。

私たちは八戸高校卒業生なのですが、同窓会幹事の年、同窓の誰かを記念講演のスピーカーとして決めなければと、幹事仲間が集まって侃々諤々議論しても中々決まらない。私が鶴の一声で「上斗米正子しかいない」と言って決まり、そういう記憶があります。

今いろいろな人たちが、百年ぶりの大改革ということで、世界中が動き始めているといわれていますが、地政学的なことや中国の習近平さんの発言など、また先生方にはＡＩのチャットＧＰＴなどの問題もでてきて、人間はこれからどうやって生きていくのだろうと思うわけですが、果たして百年後に良い世界になっているかどうか、危うい気がいたします。

そんな中で、上斗米さん、ヒッポの皆さんが取り組んでいる草の根の人と人、民族とか国と国を超越した活動、人間同士の交流がカギを握るのだろうと思っております。上斗米さんやヒッポファミリークラブの活躍はこれから世界にとって大事な取り組みだと思います。ぜひ頑張っていただきたいです。

本日は佐藤先生、上斗米さん、治史さん、「ハルくんの虹」の絵本ご出版おめでとうございます。佐藤先生の原画に囲まれていると大変幸せな想いになります。

おわりに「ハルくんの虹」の中で、ハルくんが最後に『大作戦を敢行するぞ!七色のことばで、地球のみんなが仲良くしていけるようにしたい!』というハルくんの夢、みんなでハルくんの夢を実現していくことができるよう期待しております。

「二〇二三多言語スペシャルin八戸」の一連のイベントのご成功を、心よりお祈りしております。

「二〇二三多言語スペシャルin八戸」
オープニングセレブレーション　祝辞
八戸市美術館　二〇二三年七月二六日

舞踏《ダンス》のリレイ

小出治史

六十年代のダンスシーンに土方巽という、まさに異形の舞踏家が君臨しました。一時、暗黒舞踏と称しエンターテインメントを超えて、既存のモダンダンス界を根底から破壊するものでした。しかし、破壊だけでなく、今日世界中でＢＵＴＯＨと呼ばれるダンスの一つのジャンルとして認知されるものに繋がっているのです。土方のパフォーマンスは言語では言い表し難いのですが、彼の言葉の中に「踊りとは必死に立っている死体である」というものがあります。まさに魑魅魍魎が蠢いている、そんな感がありました。わたしは当時、青年特有の病から抜け出そうとしていて身体表現の中に活路を探していた時期でした。私の通う日本マイムスタジオで大野一雄先生の稽古をうけていたこともあって、私はたちまち土方や大野先生らの虜になってしまったのです。

さて、土方の言葉の「死体が立つ」とは、まぎれもなく血が通い呼吸をしているダンサーが生理的な死体になることは不可能ですから、そもそもこの言葉は矛盾を孕み、逆説的あるいは幻術的な言辞といえます。しかし、おもしろい。埴谷雄高に「可能性の作家、不可能性の作家」文章があって、自身を含めて不可能性の作家である、と規定していましたが、土方も不可能性の作家の系譜に属する偉大な革命児であったことは間違いないと思います。目に見えないもの、有り得ないものを志向する者たちには現実や自己に対して密かな否定の観念が作用していて、天才たちは別ですが、自由を求めていながらも窮屈な論理や感情に陥りがちとなります。私はまもなく行き詰まり表現活動から遠離りました。

二十年程が経過しました。私は上斗米正子の「有飛行―有元利夫と仲間たち」（風濤社刊）を手にする偶然に恵まれました。一人の絵描きの訃報を機に、画家とその芸術空間を追いかける文章作品です。私はその本を読みはじめたとき直にこれはダンスだ、と、そして何かが開放されてゆくような感じを受けました。女性特有なのか本人限定なのか、そこには真っ盛りの自身の存在をふくめて、在るものを全て受け入れる強い自己肯定で裏打ちされた無心のダンスだったのです。私の暗黒舞踏から徐々に暗黒が滑り落ちてゆくのが感じられたのです。舞台の袖にじっと蹲くまっていた私は再び動きだせそうな気がしてきました。

精神のリレイということがよくいわれます。今在る私たちの精神の在りようは遥か遠い生者から一つの系譜に連なって、それを加減乗除しながら、絶滅せず永遠に続く系譜であることを願いながら日常の営為としています。
私は精神のリレイと言い方に代えて舞踏のリレイといったほうがリアリティに優れているように思えているところです。

「六月の田園」あとがき マンマル社刊
2008年6月8日

Begin the Beguine／花婿花嫁プロフィール

東京神楽坂 ラリアンス　結婚披露宴しおり
２００８年６月22日

小出　治史　Begin

20世紀中頃11月５日、山が紅葉に染まる天竜川支流阿多古川源に生まれる。父既に南の島で血の露と化していた為、父を飲む代わりに、乳を噛む。母悲鳴。鎮玉村立渋川小学校５年、学芸会にて勧進帳で弁慶を演ず。小学４年生から鎮玉中学まで野球少年。白衣に憧れ、高校は化学科入学も勉学は全く視野になく、60年安保騒動後の踊って歌っての左手羽先に黙って捉る。

卒業後、ポーラ化粧品研究所に入所、ビーカーで化粧品や即席麺を作り自ら肌に塗りたくったり食ったりする。同所同期、土田ヒロミ氏、真知田宏氏等と出会う。酒も医者も女性も治せぬ病に罹り、療養先を探していたころ、市川崑「東京オリンピック」ジャンルイバローの「天井桟敷の人々」などに刺激され、日本マイム研究所（及川広信氏主宰）に入所、佐々木満君と出会う。大野一雄氏の詩的な稽古受ける。ダンス界の革命児土方巽の舞台を見る。脛に蕁麻疹が噴出すほどの衝撃。佐々木満、辻征宣君と共に舞踏トリオ「黒馬団」結成も一度の公演でたちまち消滅。ポーラ化粧品退社後、業界紙「工務店経営」の編集人約3年を経て独立するも10カ月しか持たず以後Vagabondとなる。見かねた写真家土田ヒロミ氏に兄の七宝作家土田善太郎氏を紹介していただき、以後七宝焼アクセサリーなど扱って口を糊する。長谷川淑子さんと出会い七宝結社「花白組」の黒1点としメンバーに加えていただく。

１９８５保険セールスマンの修行に入る。どうにか一人前となり２００１年保険代理店マンマル設立（有限会社マンマル）現在に至る。

その間１９９１年母ふじゑ失う。１９９２年「有飛行―有元利夫と仲間たち」に出逢う。「有飛行」がここまでの散文的な経験・思惟を繋げる触媒となり始めて連なって環をなす。

２００８年６月　永き春の終宴。名刺代わりに「6月の田園」出版、引出物とす。

２０１０年　現役生活30年〝ガターズ〟（野球チームです）でまだやれるとの声を振りきって引退（ほぼ確実）

２０１５年以降　激しき舞踏を展開する（希望）

21世紀中頃　誰にも惜しまれず密かに宇宙の塵に還る（必然）。まりん子の涙、サーハルの渇きを癒す。

上斗米正子　The Beguine

20世紀のちょうどまんなか、太陽が燃える暑い夏の7月23日、文明発する地八戸市十八日町7番地で上斗米他家男・富美の2女誕生。1年後に他界する祖父専治はいじこで正子をあやしながら「えら（偉）ぐなるじゃ」と正子の将来を楽しみにしていたという。毎年末に催される上斗米機械店クリスマスや忘年会では四人姉妹や従兄妹たちを束ねて余興ディレクターの才能を発揮する。1956年春、豊島和子創作舞踊研究所創立1期生としてダンスの日常の始まり中学前半まで続く。発表会では他家男が舞台写真を撮り富美が舞台衣装制作に尽力。小学3年生で『こけしぼっこ』主演。小学生後半東京で開催される全国創作舞踊コンクール（文部省主催）に出演。上京時江口隆哉氏に稽古をつけていただく。『うみねこの唄』で全国6位入賞。中学校では体育館のマドンナとして、体操部でも活躍。高等学校で演劇部（柾谷伸夫部長）入部。八戸聖ルカ幼稚園、市立八戸小学校、八戸第二中学校、県立八戸高校を通して作文、絵画、弁論大会で活躍。学生運動が激化し東大安田講堂炎上の年、立教大学文学部フランス文学科入学と立教大学女子寮ミッチェル館入寮。仏文科闘争が始まり約2年間学部封鎖。アートギャラリー（サークル）で加藤武教授のもと、哲学、絵画芸術、リルケに没頭する。卒業夏2ヵ月間フランス・デイジョン夏季セミナーと上智大学中海洋上セミナーに参加。地中海の風に魅せられて、帰国後東京で働くことを決め就職活動。株式会社ラボ教育センター入社、社長榊原陽に逢う。教務部上司は赤瀬川隼（後の直木賞作家）、ラボ教育センターのテーマ活動（言語身体表現）で谷川雁の期待を担う。

1981年秋言語交流研究所設立に参画。84年ヨーロッパあわてものパイオニア交流、90年ソビエト・ナホトカホームステイ開拓などを契機に、国際交流部スタッフ一丸となりヒッポトランスナショナルホームステイで、青少年交流・家族交流・高校交換留学プログラムのゴールデンエイジを築く。現在言語交流研究所国際交流部部長、横浜ヒッポファミリークラブ・なみなみファミリーフェロウ。榊原陽の「隣を越えて世界は無い。韓国の人に韓国語で話そう」のメッセージをうけ、初韓国体験よりアジア・日本を直視し始めた頃、松本奉山先生に邂逅、水墨画塾に入門を決め以来松本奉山先生に師事、平成元年雅号成山をいただく。隔年の松本奉山水墨画会展(於銀座東京セントラル美術館)に出展。

1987年『有飛行—有元利夫と仲間たち』風濤社より出版。

星きらめく冬の横浜、一陣の風が正子を吹き舞う。小出治史は正子が恐れるあらゆるものをリュックにひょいと抱えて出現した。朝の電話、千の風の手紙、「一週間はもつよね」と届けられる花束に籠められた治史の呻くような言葉が聞こえてきた「僕は生きたいのです」と。それは正子も同じだった。魂がことばになる結(ゆい)を生涯希求してきた故に。

2008年日仏150周年にあたり、マダム正子がフランス政府から日仏言語文化交流功労賞で表彰されるね。小林眞八戸市長と一緒に八戸市を8ヵ国語を話す町づくりを推進。世界に広がる多言語ミッションで治史・正子、上海、マレーシア、タヒチなどに移住。水墨画修練継続。

21世中ごろ、ハルー彗星を追って正子、舞い立つ。

Proyecto de vida　多言語の虹
言語交流研究所 ヒッポファミリークラブ　活動

１９８１年言語交流研究所設立時より、多言語実践部門ヒッポファミリークラブの多言語環境づくりを推進。総合企画室で青少年交流、家族交流プログラム開拓。

１９８３年ルクセンブルク在日全権大使内山良正氏（日産副社長）の計らいで、来日中のルクセンブルク・アンリ大公国皇太子殿下（現大公）と東京赤坂プリンスホテル最上階サロンで面会、ヒッポ多言語活動を伝え、ルクセンブルクホームステイ交流の可能性のご指導いただく。

１９８４年ヒッポファミリークラブ、初ヨーロッパ（ルクセンブルク・フランス・ドイツ・スペイン）家族交流開始。以来フランス（アルザス、アヴィニョン、アンジェ、ディビヨン、リヨン、シェルブール、NACEL International）、スペイン（サラマンカ、マドリッド、バルセローナ）、ドイツ（エンケンバッハ、フェヒタ、ハンブルグほか）、ルクセンブルグ、イタリア（ブッソレンゴ、ヴェローナ、フィナレリグレほか）、リミニ共和国、オランダ、イギリス、フィンランドのホームステイ交流を開拓。

アメリカ（アリゾナ州メノナイトグループ、ユタ州４Ｈクラブ、LEX America、NACEL、ハワイフェスティバル）、カナダ、ミクロネシア、メキシコ（日墨学院、LEX Mexico）、韓国（ヒッポ、LEX KOREA姉妹組織、機会の学塾ほか）、台湾、タイ、マレーシア、トルコ、ニュージーランドで家族交流、青少年交流のホームステイプログラム開拓と多言語活動推進。

１９８５年榊原陽氏「ことばを歌え！こどもたち」筑摩書房刊、本の中の「創造のふるさとは未来にある～」のヴェリミュールフレーブニコフの詩に関心を寄せ、亀山郁夫氏の指導を受ける。

1986年ヒッポ多言語マテリアルSing Along! Dance Along!7&8の日本語歌詞公募に応募、「ふるさとは未来に」採用。作曲・編曲玉木宏樹氏で収録。

1990年9月ソビエト・ナホトカのホームステイ開拓へ～以後ロシア・ハバロフスク、ウラジオストック、ノボシビルスク、サンクトペテルブルスク交流復活まで25年間、ロシア青少年・家族ホームステイ交流、高校留学プログラム開拓・推進。

2014年サンクトペテルブルグ家族交流時、在サンクトブルグ日本総領事山村嘉宏総領事表敬訪問。

1990年秋トランスナショナルカレッジオフレックス刊「量子力学の冒険」制作編集に参加、ドゥブローイ・シュレディンガーチームで第4章執筆・発表。

1992年10月横浜西口にて「なみなみ」ヒッポファミリークラブ開始、横北地域フェロウ活動、現在に至る。

1997年～ヒッポ海外高校交換留学開始、1期生39人を送り出す。以来21ヵ国に約2000人の高校生を送り出す。

1999年チュニジア家族交流開拓、2005年チュニジア家族交流参加、在チュニス日本大使館小野安昭全権大使表敬訪問。

2008年9月～新プロプロジェクト部長、多言語活動を保育園・幼稚園・こども園、公教育の国際理解授業、東京都、埼玉県、横浜市等の教育庁、教育委員会プロジェクト推進。

2011年 アメリカ・ボストンLEX America主催、ノーム・チョムスキー「Language and Human Nature. What is Language」講演会に参加。

2016年4月～「多言語の脳科学」東京大学・MIT・LEX/Hippo3者による共同研究スタート。以来5年間共同研究基金窓口とニュースレター発行。

2016年ベトナム家族交流参加。ホストファミリーの青年ニコちゃん、後にヒッポ本部インターン生で来日。

2017年ヒッポファミリークラブ35周年記念オリジナルカメルーン・トーゴ家族初交流実現。出発前後在日カメルーン大使館特命全権大使Dr.Pierre Ndzengue、トーゴ大使館臨時代理大使M.Afognon Kouakou Sedaminou表敬訪問。交流時、在カメルーン日本大使館岡本邦夫全権日本大使表敬訪問。

2019年メキシコ「ことばはボクらの音楽だ！」（明治書院刊）スペイン語版出版記念交流参加。スザンヌフリン教授

（MIT）、ホセ教授（UNAMU）の出版記念講演会で、日本グループより祝辞と榊原氏と共に歩んだ多言語活動について話す。
２０１９年TICAD7（アフリカ開発会議第7回横浜開催）連携事業「わくわくアフリカ×多言語でつながろう！フェスタ」主催一般財団言語交流研究所開催。準備実行委員・司会。

２０２０年２月～５月「愛しのカメルーン×トーゴ」新刊発売記念～多言語ライブ全国キャラバン～みんなで歌とダンスと朗読と！多言語ライブ＆体験ワークショップ実現。主催言語交流研究所・ヒッポファミリークラブ、後援カメルーン大使館、トーゴ大使館。コロナ拡大で３月以降はZOOM配信で実現。

中部本部「多言語カフェ」、東京・小平ダーツの旅「フランス～アフリカ篇」、池袋地域「愛しのまりんしゃ」等でZOOMスピーカー出演。


２０２０年夏中国上海太湖大学堂小学生キャンプグループフェロウ。コロナのため全交流中止。

２０２１年夏中国上海太湖大学堂小学生キャンプグループフェロウ。オンラインで実現。横浜北地域の参加者保護者と協力し、参加青少年メンバーを我が家ほか分宿、横浜中華街発展会協同組合とコラボして、中華街で中日文化交流会開催。

２０２１年７月～「親子で考える。留学・ホームステイ説明会」後援：文部科学省、国際交流基金、担当。オンライン開催
２０２３年６月は東京国際フォーラム会議室リアル開催。

２０２２年春フランス青少年カーン・シェルブール交流グループフェロウ、オンラインにて実施。

言語交流研究所（２０１３年より一般財団法人）／株式会社レックスインターナショナルにて、総合企画室、運営部、国際交流部、推進部、新プロジェクト部各コーディネーター、責任者として活動、現在に至る。

書籍編集　関連

1985年6月　「有飛行―有元利夫と仲間たち」風濤社刊
2013年10月「ことばはボクらの音楽だ！マルティリンガル習得プログラム」榊原陽著、明治書院刊
2015年「世界国々面白クイズ1000」メイツ出版刊　監修（一財）言語交流研究所
2019年5月「高校生、とび出せ世界へ！」遊行社刊　企画（一財）言語交流研究所／ヒッポファミリークラブ
2019年12月「愛しのカメルーン×トーゴ　19歳～73歳の多言語仲間のアフリカホームステイ発見伝」遊行社刊、企画（一財）言語交流研究所／ヒッポファミリークラブ
2021年11月「マスクはおしゃべり」作・佐藤泰生／遊行社
2022年3月「ハルくんの虹　カメルーンと日本 愛と希望のリレイ」遊行社刊／3月30日～日本各地、アメリカカリフォルニア約20ヵ所でZoom、リアルで「ハルくんの虹」ワークショップ開催。
2023年2月　東京銀座教文館「ハルくんの虹」画家原画展と著者トークライブ、4月埼玉小川町町立図書館にて「ハルくんの虹」著者お話と多様性・多言語ワークショップ、7月八戸市美術館にて「2023多言語スペシャルin八戸」で「ハルくんの虹」画家原画展×著者トークライブと「世界のことばで遊ぼう」ワークショップ開催。
2023年6月「ちっちゃな虹の手たち」作詞・上斗米正子、作曲・歌稲村壌治（小川町・ユーチューバーミュージシャン議員）ミュージック動画作成
2023年12月　「ふみづくえ」他の原稿、未発表原稿から編集発表。遊行社刊

私事　あゆみ

青森県八戸市出身

5歳～豊島和子現代舞踊研究所（八戸市）入門、現代舞踊コンクール／文部省後援（東京）出場・入選。作文、図工、書道、スピーチコンテスト出場。

八戸市立第二中学校　体操部。

青森県立八戸高校　体操部、演劇部。

立教大学文学部フランス文学科　ITA（International Travel Association）、チャペルアートギャラリー。

1973年7月～フランス政府主催ディジョン大学夏季フランス文化・フランス語セミナー、上智大学サークル地中海洋上セミナー参加。

1973年10月～ラボ教育センター（榊原陽主宰）入社。赤瀬川隼氏上司の教務部、谷川雁氏指導のテーマ活動、ラボキャンプ（黒姫、後にニコル氏参画）指導受ける。

1976年7月アメリカ4Hクラブ（ネブラスカ州）、1980年同（ユタ州）青少年交流シャペロン。

1977年～韓国青少年ホームステイ交流開拓、在韓須之部量三日本大使が榊原陽氏の日韓交流を支持、指導うける。韓国に多言語姉妹組織設立に尽力。

1979年～水墨画松本奉山に師事。以来東京セントラル美術館、有楽町マリオンギャラリーほかで、松本奉山水墨画塾展開催。2005年松本奉山氏没後関西、東京で塾生研修会継続。

1987年「有飛行―有元利夫と仲間たち」風濤社刊、詩人浜田知章氏、長谷川龍生氏の指導受ける。

1987年11月11日　「有飛行―有元利夫と仲間たち」出版記念パーティ、東京・表参道青山会館。

八戸市公立高校「ふるさと」講師、八戸市公立学校校長会講師など外部講師多数。

1996年TBS「あなたに逢いたい」に笑福亭鶴瓶氏、舛添要一氏と出演。

2008年6月8日小出治史と八戸市神明宮にて婚儀。階上・密陽庵、6月22日東京・神楽坂ラリアンス、8月30日横浜山下公園前・ホテルモントレイにて披露宴。

2009年GWヒッポファミリークラブ・フランスアヴィニョンホームステイ交流に横浜や名古屋のヒッポメンバーとハネムーン参加。アヴィニョン/Assosiasion d' Antipodesの祝福をうける。

2013年3月大野理可しの笛グループ、ロシア・サンクトペテル公演に参加。ムソルグスキー音楽学校ホールで大野理可しの笛演奏「春のゆくえ」（大野理可作曲）で小出治史と舞踏・舞共演。

2016年6月大野理可しの笛グループ、内モンゴルホホフト公演に参加。

1996年4月〜97年3月/2016年4月〜17年3月 各1年間11回、デーリー東北新聞「ふみづくえ」執筆。以来折にふれて、デーリー東北新聞、ふらんす（白水社）、JーCインフォメーション、教育新聞「モルゲン」（遊行社）等に寄稿。

2023年11月3日「第52回デーリー東北賞」受賞がデーリー東北新聞紙上で発表。長年の多言語活動推進と国際交流開拓による国際的環境づくり貢献に対して。12月15日、八戸市デーリー東北新聞本社にて授賞式。

2023年12月15日「多言語のある日々　波動　はるかに」出版。遊行社刊。

エピローグ

今夏、わたしは八戸市美術館で八戸市へ多言語の虹を架けようと格闘していたが、ヒッポファミリークラブの新しい交流がモンゴル、カザフスタン・キルギス、沖縄でも実現され、赤ちゃんから多世代、青少年、高校生留学など、約１５００人が大移動するという、多言語交流新時代怒濤の幕開けになった。

東京・渋谷、言語交流研究所本部のラウンジの一角で、秋の横浜「多言語で世界に繋がろう」講座の準備をしていると、一方で今夏モンゴルやカザフスタン・キルギス初交流に参加した方々の体験報告会が始まった。横浜チームの私たちは、学校への案内発送作業に専念しながら、その報告があまりにも快活で面白く、次第に私の耳はダンボになっていって交流話に惹きつけられていた。

▽何も遮るモノがないんだよね。ウランバートルの空港から少し行くと、もう大草原。初めは羊の糞とかよけて歩いていたけど、すぐ慣れちゃう。こどもたちもどんどん進んでいって、子ども同士も自然に遊んじゃう。

▽どこまでも続く大地、空、夜には満天の星、流れ星。すぐそこの林などに動物の死骸があったり。天と地と、生と死とが繋がっているの。私は大自然の中のただの生き物と感じたの。

▽朝、泊まってるゲルから出ていくと、みんな声かけあって「おはよう〜」。みんなのことばの音はばらばら・・オデュメンド・・オギュンメンド・・ギュウドン？　ドドンメンド？聞こえる音声を、そのまま自分の口から出す。皆自分の音を胸をはってかけあって、ワハハ・・大笑いなんだよね。

聞こえる音声も、口からでる音もゆらいでいる。私にはモンゴル大草原の朝靄の中で、言語の粒子や波動が揺れながら蠢いて、ゆらゆらとモンゴル語に成っていく時空に襲われ、ああ・・このようにして、人々が声を掛けあいながらユーラシア大陸を移動しながら、モンゴル語が生成されてきたのね・・もっともっと遡ると、アフリカ・エチオピアの、大地に立ちあがったルーシーさんのため息や嗚咽が大気圏をゆらゆら揺れながら、仲間や家族をつくりながら、音声の交響によって、長い永い時間の中で、多様な言語に収斂し多様な言語が生まれてきたのかな・・と、まだ見ぬモンゴルの大地に想いを馳せていた。

多言語活動の実践から、『人間のことばはひとつ』のことを書きたいと長い間考え続けていたが、テーマがあまりにも膨大で何度も落胆した。カメルーン留学生メンジョさんの出逢いから、そのメッセージを「カメルーンと日本　愛と希望のリレイ　ハルくんの虹」として4カ国語の絵本にできたことは誠に幸運だった。特別ではない日常に触れ、家族のように時間を刻む体験から生まれる愛や希望は、今、日々拡大する悲惨な戦争の時代に、一見心もとないようであるが、その繋がりや強さは、武器や戦車より強く、新しい未来を切り拓いていく・・という祈りを込めた。

一冊のファイルから本著の編集が始まったら、忘却の彼方の時間・空間が怒濤のように甦ってきた。半世紀の時間のことばたちは、時には青臭く元気だけだったり、夜明け前のまだ実態の無い多言語活動に全身で体当たりしていたり、イヤロン（高校生交換留学）プログラムを何とか軌道にのせたいと必死でもがいている姿など、また多言語の環境づくりを実践しながら、南部弁と津軽弁のことがいつも体内にあったことなどけなげだ。とりとめもない小片の想いの波動が流れるように織り成したものの、年代によって文体や表記の違いや、観念の未熟さ、テーマの反芻など、素材のデコボコをどうかお許しいただきたい。

多言語の取り組みは大航海から出航したが、それはやがて大航海でも冒険でもなく、日々私の営みになっていったことが心から愛おしくなった。外国語も世界も外側にあるモノではなく、ことばを発しながら身体言語となり、私の内側の細胞となり、世界が新しくなる道程であった。それでも、多言語言語習得も世界もまだ、朗らかに外側にあったようだ。

ある日、小出治史は西風ゼピュロスと化して現れ、「ぼくと一緒に舞踏《おど》りませんか」と白い息吹のことばを、居酒屋でビールのコースターに炙り出した。

私は父の子ではない
わたしは母の子ではない
私は絶対零度の空閾を
高速で舞う素粒子の
進化の結果なのだ
ネ　一緒に遊ぼ

プロポーズ「六月の田園」マンマル社刊

仕事で疲労困憊の私は、この炙り出された文字を追いながら、約束されたモノもカタチも何もないけれど、ゼピュロスには「ことば」がある・・私はゼピュロスと飛行するのかなあ・・眩惑しながら、5行目までことばを噛みしめ・・最後の1行の温度の落差に戸惑っていた。一緒に飛びながら、ゼピュロスは、遥かな自転の時間、名付けることのない日々の「やり取り」を幼子のように楽しみ慈しみたい・・という心情が日々伝わってきた。特別な記念日よりも、巡りくる今日をことばにしていきたいと。日々、内側からことばが湧き起こり、二人の間で明日を見つけていきたいと。

武蔵小杉の高層マンションを望む我が家に降り注ぐ光の朝、ある日カーテンを開けて、「なるしがちょわよ（天気いいねえ・韓国語）」と私。「はるしがちょわよ〜（はるしが素敵？）フランス語？ ロシア語？」治史。「ぱごーだはらっしょ〜（天気いいねえ・ロシア語）さあ、朝ごはん何にする？」

何語？何語でもないこんなことばは何だろう。踊るような歌うような波動のことばは、赤ちゃんとママンのやりとりの温度がある。ゼピュロスと私のことばのやりとりの中に世界も宇宙も生まれ、いつもお互いが生まれる、在る、生きている。洗面所からモンゴル語が、トイレ、リビングでは多様な言語の音素が空気に溶けて静かに舞っている。

遥かな未知の世界に想いを馳せ、一番近くの人、家族、職場や地域の人々に「私」のことばの息吹をかける。甘やかに。凛として。多言語のある日々、私たちのことばの波動、どこまでも、いつまでもと希《ねが》いながら。

二〇二三年十一月五日

武蔵小杉摩天楼を望む　ヴィルヌーブ新丸子にて

参考書籍

榊原陽『ことばを歌え！こどもたち』筑摩書房
榊原陽『ことばはボクらの音楽だ！』明治書院
ヴェルナー ハイゼンベルク『部分と全体』湯川秀樹序・山崎和夫訳　みすず書房
藤村由加『古事記の暗号』新潮社
『７ヵ国語で話そう。ヒッポファミリークラブの冒険』ヒッポファミリークラブ
『量子力学の冒険』トランスナショナル カレッジ オブ レックス編　ヒッポファミリークラブ
『量子力学の冒険』新装改訂版　トランスナショナル カレッジ オブ レックス編　ヒッポファミリークラブ
亀山郁夫『甦えるフレーブニコフ』晶文社
上斗米正子『有飛行　有元利夫と仲間たち』風濤社
小出治史『六月の田園』マンマル社
ヒッポファミリークラブ企画『愛しのカメルーン×トーゴ 多言語仲間16人のアフリカホームステイ発見伝』遊行社
上斗米正子　佐藤泰生・画『ハルくんの虹　カメルーンと日本 愛と希望のリレイ』遊行社

一般財団法人 言語交流研究所
１９８１年、榊原陽氏の提唱により設立、多言語（いくつもの言語）で自然習得（母語のように習得）するヒッポファミリークラブが誕生。家族や仲間で、日常的に多様な言語の音の波に触れる環境をつくりながら、世界中の人々と多文化・多世代・多言語で交流しています。現在22ヵ国語で楽しみながら、国際交流、言語研究を推進しています。東京・渋谷に本部があり、日本中に約７００ヵ所、アメリカ、メキシコ、韓国、台湾等にもヒッポファミリークラブがあります。ＨＰ：https://www.lexhippo.gr.jp

謝辞

多言語の虹～世界へ！未来へ！
半世紀以上にわたる私の 営みにご指導とご支援をありがとうございます。
＊誠に申し訳ありませんが敬称を省略させていただきます＊

八戸市　八戸市教育委員会　八戸市美術館　八戸ブックセンター　デーリー東北新聞社
在日本カメルーン共和国大使館　在日本トーゴ共和国大使館　風濤社　遊行社　JIC
亀山郁夫　朝比奈誼　山本顕一　有元容子　藤枝リュウジ　小林眞　荒瀬潔　佐藤泰生
木村護郎クリストフ　辻子美保子
Mengnjo Jude Wirmvem(Cameroun) les familles et les amis d'échange Cameroun et Togo　Francisco Javier Rodriguez G. y Leticia Olvera Chaparro (Mexico)
Yves Rouquette, Marylene Cartier (Avignon)　les amis d'Antipodes (Avignon)
Kampai Anjou(Angers)　Pascal et Françoise Sockeel (Divion)
Valentina Schneider,　Sofia Dansina (St.Petersburg)　金玉南（韓国）
大和田康之 (USA)　Suzanne Flynn(USA)　LEX America　Elizabeth Victor White
LEX Mexico Francisco Javier Mares　谷野浩人　稲村壌治　清水典子
一般財団法人言語交流研所：鈴木堅史＆照世　平岡一武＆由布　田中俊　村田幹雄
伊藤敬悦　安本欣司　高野加津子　田中弘毅　高橋久美　榊原江太郎＆由希子　白鳥正信
神川周子
ヒッポファミリークラブ研究員・フェロウ：井内わか　内藤和子　竹内博子　中山摩利子
中川紀子　吉澤不二子　飯田美恵子　安福ゆかり　西澤美智子　佐藤直子　五味雅子
小笠原靖江　福田とみえ　関根寿美子　清水真美子　中村智子　秋山智世　大矢真弓
横浜北地域：ねいねい　ぱーかん　ちぇみ　あまーに　もすきー　じゅりえ　まどんな
とれび　まこちゃん　あやりん　ぴかちゃん　すーちゃん　やえ　よーこ　りーこ
かんて　きもの
なみなみヒッポファミリークラブ：じゅじゅ　りりあ＆まゆっち　みきちゃん＆しゅうちゃん
あいぴー＆ここぴー　ひょっちゃん　ろった　そめ　わか　なる　しじゃん　ひろ
じゃすてぃん　はる　タイガー　ジョウー　きゅんきゅん
エッコシモーベ：イサム＆タシロちゃん　かれい＆ひらめ　へんぼ＆わかちゃん
とらさん＆ほーばくさん　ようちゃん＆すみれ　りさ　なつめ　ほんちゃん
親族：富田禎哉＆美津子　中居靖夫　三浦俊哉　福田和郎　小出和史＆若江
金入清高＆祥子　三浦二郎＆紀子　岩田博規＆章子
敬愛する天空桟敷の人々：榊原陽　有元利夫　長谷川龍生　浜田知章　赤瀬川隼　豊島和子
松本奉山　Gabriel Mehrenberger　Jean Pierre Schneider　松本佳子
上斗米他家男＆富美

あなたが虹！そして私は、上斗米治史とともにこれからも
「創造のふるさとは未来に」を目指します。
心をこめて　上斗米正子

多言語のある日々
波動 はるかに

2023年12月15日　初版第１刷発行

著　者　上斗米　正子
発行者　本間　千枝子
発行所　株式会社遊行社

表紙：「波と浪裏」ガラス絵　佐藤泰生
装丁：カレンス法子
帯：木村護郎クリストフ
イラスト：第３章　ドイツ ベルリン 1991 ／テレビ画面
「ヒッポファミリークラブの冒険」ヒッポファミリークラブ編より提供
写真：P11　種差海岸　小林美喜
P194　トーゴ・ジャパンフェティバル・集合写真　辻旺一郎
P211　小川町ワークショップ　五味雅子
P218　八戸市美術館　福田和郎
その他　イラスト・写真　上斗米正子

〒191-0043 東京都日野市平山1-8-7
TEL 042-593-3554　FAX 042-502-9666
https://hp.morgen.website

印刷・製本　モリモト印刷株式会社

©Masako Kamitomai 2023 Printed in Japan ISBN978-4-902443-72-1
乱丁・落丁本は、お取替えいたします。